Casi Cristianos

Cómo dañamos el Cristianismo y qué hacer para arreglarlo.

Joel Rodríguez Morales

Casi Cristianos
Cómo dañamos el Cristianismo
y qué hacer para arreglarlo.

Catálogo de la Biblioteca del Congreso
Library of Congress Catalog - in- Publication Data
Registration Number TXu 2-175-081

Pedidos por información deben ser enviados a:
casicristianos@gmail.com

ISBN: 978-1-7343548-0-5

Editado por:
Haydée Zayas-Ramos • haydeezayasramos@gmail.com

Diseño de portada e interior:
Rick Lipsett • rick@ricklipsett.com

Para mi esposa, Ivy.

Eres el abrazo de Dios en mi vida,
Su propia voz, como dulce melodía.
Eres Su sonrisa brillante, mi mediodía;
Eres el recuerdo constante de un Dios que cuida.

Contenido

Introducción:
El Reto

¡Hola!

Quiero ser el primero en darte la bienvenida a estas páginas. Así que: ¡gracias por comprar/tomar prestado/robar/bajar/piratear este libro!

Sinceramente, escribir este libro no fue fácil.

La realidad es que me encanta escribir, pero cada vez que me enfrentaba a alguna parte distinta del mensaje de este libro, tenía que detenerme porque, honestamente, hay cosas que me hubiera gustado cambiar para no tener que aplicarlas a mi vida. Dios me confrontó como nunca, y me di cuenta que, ante las verdades de Dios, el corazón reacciona de dos formas:

- Se endurece
- Se quebranta

¡Mi corazón se endureció más veces de lo que me gustaría admitir! Sin embargo, no podía negar la realidad de que no estaba siendo un buen Cristiano, como yo estaba seguro que era. De hecho, era lo contrario: era el peor Cristiano. Ni siquiera un Cristiano - un casi Cristiano, de esos que honran a Dios con sus labios, pero sus corazones están lejos de Él. De esos que dicen que Dios es "número uno" en mi vida, pero en realidad Dios es mi número uno los domingos.

Yo llevo espejuelos. Cuando tengo que quitármelos para limpiarlos, termino utilizando mi camisa (o la ropa de mis hijas), y siempre se quedan un poco sucios. Cuando busco la tela de microfibra, junto con el atomizador de limpieza de espejuelos y saco tiempo para limpiarlos como se debe, me doy cuenta de algo: veo mejor. Lo sé, lo sé: ¡obvio que sí! ¡Pero la realidad es que siempre me sorprende! Pienso: ¿cómo es que yo podía ver a través de unos lentes tan sucios? Al ser Cristianos, tenemos puestos los anteojos del Cristianismo y, a través de ellos es que vemos. Como escribió el gran C.S. Lewis: *"Creo en el Cristianismo así como creo que el sol ha salido; no solo porque yo lo pueda ver, sino porque, gracias a él, lo puedo ver todo.*[1]*"*

"Creo en el Cristianismo así como creo que el sol ha salido; no solo porque yo lo pueda ver, sino porque, gracias a él, lo puedo ver todo." ~C.S. Lewis

En este libro voy a proponer algo con lo que, tal vez, no estés de acuerdo: nuestros anteojos de Cristianismo están sucios, por lo cual no estamos siendo buenos Cristianos. Somos casi Cristianos.

¿Cómo lo sé? Por la forma en la cual la gente reacciona cuando presentamos a Jesús: como algo ridículo, retrógrado... tal vez hasta innecesario. Esto me dejó pensando, porque la gente no reaccionaba así cuando Jesús estaba. ¿Sabes cómo dice la Biblia que la gente reaccionaba ante Jesús? ¡Dice que se iban tras Él[2]! Mira lo que sucedía cuando llegaba Jesús a algún lugar:

> *"Cuando toda la gente se enteró de que Jesús había llegado, corrieron en masa para verlo a él"*[3]

La Biblia nos dice que nosotros somos los representantes de Cristo en la Tierra.[4] Pero, ¿por qué la gente no viene *"corriendo en masa"* a saber más de Él? Pienso que no tiene que ver con Cristo, sino con cómo lo estamos representando. Nuestros espejuelos de Cristianismo están sucios, y eso hace que no veamos bien el camino que tenemos que andar, aún pensando que lo estamos logrando. ¡Hemos aprendido a utilizar anteojos sucios y nos hace falta limpiarlos con Su Palabra![5]

Mi propósito con este libro es que podamos ver mejor, para caminar mejor, ¡y que otros quieran caminar con nosotros!

Primero, quiero hacerte consciente de que hay un problema: la gente detesta a los Cristianos. El por qué del asunto lo vas a leer en breve, pero no es difícil ver que no somos los más amados del universo.

Luego, quiero tomar un tiempo para discutir algunas realidades sobre nuestro comportamiento Cristiano; mayormente de dónde sale y por qué sucede.

Por último, quiero darte unos consejos prácticos que (espero) puedan ayudarte en tu caminar con Cristo para poder ser un representante digno de todo esto que creemos.

Todo esto es con el fin de que la gente quiera venir a conocer más de Jesús.

Capítulo 1
Los Menos Amados

No sé si te has dado cuenta, pero los Cristianos no somos el grupo más amado en la sociedad moderna. Hay muchas razones para ello pero, para propósitos de éste capítulo, quiero enfatizar tres.

Los estándares del Cristianismo

Primero, la gente tiende a rechazar el Cristianismo porque los estándares el Cristianismo son muy exigentes; las afirmaciones que hace el Cristianismo son fuertes. Muy fuertes. Difíciles de tragar.

Por ejemplo, eso de que Jesús es el unigénito (entiéndase: *"único"*) Hijo de Dios no sienta bien a la mayoría de las demás religiones del mundo; es una idea que no sabe jugar bien con otras porque excluye cualquier otra posibilidad de llegar al Cielo que no sea

Jesús. El Cristianismo es una religión exclusivista: los reclamos de Jesús de que Él era la única forma de llegar a Dios[6] son muy fuertes para aquellos que piensan que todas las religiones llegan al mismo sitio (o que todas las religiones tienen *"algo de la verdad"* o que *"son lo mismo"*). No es fácil proclamar una religión que predica que Jesús es el único camino a Dios; ¡eso elimina todos los demás caminos! Y, como tal vez sabes por experiencia, decir cosas en contra de la cosmovisión (forma de ver el mundo) de alguien no es algo muy bien recibido en muchas ocasiones.

No sólo eso, sino que los estándares del Cristianismo son más de lo que, como humanos, podríamos pensar que es aceptable. Por ejemplo, sabemos que tener intimidad sexual con alguien que no es tu cónyuge es pecado. No obstante, Jesús dice que eso no es suficiente. Él dijo que es pecado tan solo mirar a otra persona que no es tu cónyuge con intenciones de tener intimidad sexual.[7] Así, Jesús levanta los estándares de muchas otras cosas en muchas áreas distintas, incluyendo: hacerle favores a otros, hablar sinceramente, ¡y aún hasta cuando te bofeteen! El teólogo G.K. Chesterton comenta:

"No es que el ideal Cristiano se haya intentado y se ha encontrado que es insuficiente; ¡es que lo encuentran difícil y ni siquiera lo intentan!"[8]

En pocas palabras, Chesterton nos dice que no es

que el Cristianismo sea insuficiente para vivir, ¡es que ni siquiera se vive porque pensamos que es muy difícil llegar a ese ideal!

Nadie te va a dar flores (ni las gracias) cuando termines de explicar los reclamos radicales de Jesús.

> El Evangelio de la Cruz de Cristo es ofensivo, y eso no sienta bien con una sociedad que lo que busca es que no la ofendan.

La realidad es que Jesús se levanta como un estorbo a aquellos que aman las tinieblas porque Jesús es luz.[9] No fue hasta que la luz de Cristo alumbró nuestras vidas en la oscuridad de nuestro pecado que pudimos ver nuestra necesidad de Él. Ahora, Jesús mismo nos manda a ser luces, como Él.[10] Pero, ¿nunca te han encendido la luz a las tres de la madrugada? Estás durmiendo, soñando que mañana es sábado y no hay que levantarse temprano. De repente... ¡la luz del cuarto se enciende!

Todos nos levantamos siempre felices de la cama cuando eso sucede, ¿verdad?

Claro que no.

En mi caso, quién haya prendido la luz va a tener que esquivar la almohada que le voy a tirar. Esa es más o menos la reacción que tiene una persona que no conoce a Jesús cuando la luz del Evangelio se enciende en sus vidas. Se retuercen espiritualmente, se esconden debajo de la sábana, y, a veces, nos tiran con insultos y burlas (que pueden doler más que una almohada).

¿Qué quiero decir con esto?

Que el Evangelio de la Cruz de Cristo es ofensivo, y eso no sienta bien con una sociedad que lo que busca es que no la ofendan.

La verdad es que duele reconocer la realidad humana: somos esclavos del pecado.[11] Es como tener unas cadenas alrededor de nuestros corazones constantemente y quien único puede romperlas es Jesús. La cosmovisión Cristiana contiene muchas verdades que chocan con el diario vivir de muchas personas. C.S. Lewis se percató de esto cuando dijo: *"Si quieres una religión que te haga sentir cómodo, no recomiendo el Cristianismo."*[12] Si el Evangelio de Cristo no te confronta, si no te reta, y si no te hace crecer, entonces no estás siguiendo a Cristo, ¡estás siguiéndote a ti mismo! Hay quienes piensan que pueden "servirse" creencias, como si participaran de un gran buffet cósmico, donde se echan en el plato lo que les gusta, y lo que no les gusta lo dejan. ¡El problema de esto es que no es sustentable! ¿Recuerdas la parábola de Jesús sobre el sabio que hizo su casa sobre la roca y el necio que la hizo sobre la arena? Cuando vino una tormenta, sólo quedó la casa del sabio.[13] Piensa: ¿por qué cayó la casa que fue hecha sobre la arena? Para responder esta pregunta, primero debemos entender qué es arena. La arena no es una sola cosa, es un compuesto de rocas y minerales pequeñísimos, ¡a veces hay pedacitos de corales o de huesos! El necio construyó el fundamento de su vida sobre un compuesto de creencias -nada sólido, ni único-, y cuando llegó la tormenta a su vida, ese fundamento cayó. Cuando nos desviamos de la Roca[14] y llenamos nuestro plato de muchas creencias distintas, estamos fundamentando nuestra cosmovisión en arena.

> Si el Evangelio de Cristo no te confronta, si no te reta, y si no te hace crecer, entonces no estás siguiendo a Cristo, ¡estás siguiéndote a ti mismo!

Entonces, llega la tormenta y levantamos voces contra Dios, porque queremos que la arena aguante tempestades.

Recuerdo una vez que estaba haciendo un castillo de arena con mis hijas y dejamos la construcción un momento para buscar algo de tomar. Nos volteamos para ver el preciso momento en el cual un niño le dio una patada a ese castillo y todo nuestro esfuerzo se derrumbó. Si lo hubiera hecho con una base de piedra, mi castillo hubiera resistido... y ese niño hubiese aprendido una importante lección sobre patear castillos ajenos.

Dios es un constante recuerdo de que los fundamentos arenosos que queremos no funcionan y eso hace que el Cristianismo no sea visto de buena forma. El Cristianismo nos demuestra una manera correcta, moral y sacrificial de vivir la vida; totalmente lo opuesto a la idea egoísta de ocuparme solamente de buscar mi felicidad, preocuparme por mis asuntos, y velar por mis intereses. En pocas palabras: el Cristianismo no deja que vivamos como nuestros deseos egoístas dicten. Eso sería fácil. Eso es estar dormido con la luz apagada: cómodo.

Y eso de salir de la comodidad ignorante de mi cama a la luz cegante de mi realidad humana no me agrada. Ni a mí, ni a nadie.

> "El Cristianismo no deja que vivamos como nuestros deseos egoístas dicten."

El Cristianismo es visto como opresivo

La segunda razón por la cual se detesta el Cristianismo tiene que ver con una *"nueva"* cosmovisión apoderándose de nuestra sociedad. Ya el relativismo está quedando atrás, para dar paso a esta nueva filosofía. El nombre oficial es la "Teoría Crítica[15]", pero muchas de las personas que creen en esto no necesariamente saben cómo se llama. En esencia, se podría decir que la Teoría Crítica es una cosmovisión que separa la sociedad entre grupos de opresores ideológicos (no necesariamente, ni solamente políticos, como el Marxismo) y grupos de oprimidos. En esta sociedad, los grupos dominantes establecen las ideologías para mantenerse opresores y el deber fundamental del ser humano es liberar a los grupos oprimidos de los grupos opresores.

No te preocupes, voy a dar ejemplos.

La Teoría Crítica dice que hay grupos de personas que subyugan a otros grupos de personas por medio de sus ideas. Por ejemplo: el grupo de personas blancas subyugan al grupo de personas negras con sus ideas racistas, con el propósito de mantenerlos oprimidos. O el grupo de los que son hombres subyugan al grupo de las que son mujeres con sus ideas machistas y misóginas. O el grupo de las personas Cristianas quieren subyugar al grupo de los homosexuales con sus ideas binarias de las sexualidad. En todos los casos, hay un grupo opresor que subyuga a un grupo oprimido; todas las ideas que proponen tienen el propósito de mantener al opresor con poder sobre el oprimido.

Además, siempre se habla en *"grupos"*. La razón es porque tu identidad individual está ligada al grupo al que perteneces. Es decir, un varón es opresor solo porque es hombre, y automáticamente pertenece a ese grupo, aunque nunca haya tratado mal, ni pensado mal hacia una mujer. Igual, cuando una persona es de tez blanca, automáticamente pertenece a un grupo opresor en contra de los negros y otras etnicidades, aunque siempre trate bien a todos, sin importar su color de piel o su cultura. Lo opuesto también es cierto: mientras una persona pertenezca a más grupos oprimidos (por ejemplo: que sea mujer, de tez oscura, y homosexual), tienes más voz y derecho a expresarse en contra de los opresores, sin importar cómo.

Por lo tanto, al pertenecer al grupo de personas Cristianas, automáticamente te conviertes en un opresor. El grupo de los Cristianos "oprime" (por así decir) con sus ideas a los grupos de LGBTTQ+ (como mencioné), a los grupos a favor del aborto y a los grupos de otras religiones, etcétera, etcétera, etcétera. Lo *"peligroso"* es que, bajo la Teoría Crítica se permiten -y se aplauden- cualquier acto de un oprimido en contra de un *"opresor"*, porque el valor de "luchar a favor del oprimido" va por encima de derechos y valores individuales. Por ejemplo, salió una noticia de una mujer que se trepó a la tarima en medio del cierre de un evento para jóvenes de la iglesia Católica en Brasil, ¡y empujó al cura fuera de la tarima![16] El valor de *"luchar contra el opresor"* fue por encima del valor moral de *"no le hacemos daño a las demás personas"*.

Como vemos, para la Teoría Crítica, el Cristianismo es de lo más opresivo en la sociedad[17]. Y, como el deber fundamental de la Teoría Crítica es liberar a los grupos oprimidos de los opresores (como el Cristianismo), estamos en el lado malo de una sociedad que anda como león rugiente, buscando a quién devorar. A simple vista parecería que es una causa justa en búsqueda de igualdad. De hecho, al igual que la Biblia, la Teoría Crítica señala la opresión como algo objetivamente malo. El problema es que la Biblia y la Teoría Crítica definen "opresión" de formas distintas; y ambas presentan soluciones muy diferentes.

La razón número uno por la cual nos detestan es...

Las primeras dos razones que mencioné no son las únicas por la cual la gente detesta el Cristianismo. La última, y más importante, razón por la cual las personas detestan a los Cristianos es...

Los Cristianos.

Tú y yo.

Deja que eso se asiente en tu cerebro.

El problema más grande del Cristianismo no es el Cristianismo, somos nosotros como Cristianos.

Vale la pena aclarar algo: la verdad del

Cristianismo no depende de cómo se comportan los Cristianos (¡Gloria a Dios que la verdad del Evangelio depende del ejemplo y sacrificio de Cristo, ¡no del nuestro!). Las verdades de Dios siguen siendo verdad aunque no existiesen Cristianos para seguirlas o aunque el 100% de los Cristianos fracasaran en cumplirlas. No obstante, los Cristianos mismos se convierten en estorbos y obstáculos para que las personas puedan llegar a los pies de Cristo y ver lo buenas que son esas verdades del Cristianismo.

Y esto es un problema.

> **"El problema más grande del Cristianismo no es el Cristianismo, somos nosotros como Cristianos."**

¿Recuerdas una vez que hubo cuatro personas que abrieron un techo para bajar a su amigo paralítico frente a Jesús para que lo sanara?[18] Si lees el versículo 4 de ese capítulo, nos dice porqué tuvieron que ir a través del techo:

> *"[...] no podían acercarse a [Jesús]* ***a causa de la multitud*** *[...]"*

Los mismos que estaban siguiendo a Jesús y escuchando a Jesús, eran los mismos que no dejaban que quiénes tenían mayor necesidad de Jesús llegasen a Él. Recuerdo una vez que le estaba evangelizando a una mujer que solía vender su cuerpo y ella me confesó que sentía la necesidad de acercarse a Jesús y de alejarse de esa vida que llevaba. La invité a ir a la iglesia al día siguiente y su respuesta me rompió el corazón. Me miró y me dijo:

> *"¿Ir a la iglesia? ¿Para qué? Ya me siento lo suficientemente culpable."*

Wow. No quería ir a la iglesia porque pensaba que la iban a hacer sentir aún peor de cómo se sentía por lo que hacía. Pensaba que, en vez de un abrazo restaurador, recibiría miradas de juicio. No podía acercarse a Jesús a causa de la multitud que tapaba la entrada.

Pero, ¿qué es lo que hacemos para tapar esa entrada?

Pues, según un estudio del Barna Research Group, publicado en el libro llamado *"UnChristian"*[19], hay tres cosas principales que los Cristianos hacemos para tapar la puerta del Cristianismo y hacer que luzca de una forma negativa:

1. *El orgullo Cristiano*– Esto se refiere a esa actitud jactante que tenemos a la hora de destacarnos como Cristianos. ¿Ese sentido general de superioridad sólo porque dices ser Cristiano? Eso. Nos comparamos con los demás y determinamos que somos mejores

porque "estamos del lado de Cristo". No nos damos cuenta de que somos los modernos fariseos que se paraban en el templo a orar y decían: "Gracias porque no soy como este publicano..."[20] Esta actitud hace que el mensaje de la Cruz no sea efectivo, porque estamos siendo fariseos; estamos fallando en llegar al blanco de lo que significa ser Cristiano. Se nos olvida que también somos pecadores, no unos súper santos.

2. *La falta de compasión y caridad* – Sorprendente, ¿no? Todo el amor por el cual Jesús es conocido está ausente en aquellos que dicen seguirlo. ¿Cómo puede ser esto? Esas enseñanzas de Jesús sobre la compasión y caridad han sido intercambiadas por acciones defensivas y hostiles, especialmente cuando el Cristiano siente que sus posiciones morales han sido (o están siendo) atacadas.

Déjame hacerte claro lo que acabo de escribir: Los Cristianos somos más famosos por las cosas que no apoyamos en vez de las cosas que, se supone, promovamos (como la compasión y caridad). En pocas palabras: los Cristianos somos mejor conocidos por las posturas que combatimos, en vez de a Quién amamos.

3. *Vidas Hipócritas* – Somos una persona cuando vamos a la iglesia o cuando nos encontramos con el pastor en el supermercado, pero somos otras

personas cuando nadie nos ve. El mundo está mirando y se está dando cuenta de que estamos predicando cosas que no seguimos, poniendo cargas en otros que nosotros no estamos dispuestos a tocar o llevar. Para citar al filósofo Hindú Bara Dada: "Jesús es ideal y maravilloso, pero ustedes los Cristianos no son como Él."[21]

El resumen de estas tres razones apunta a lo mismo: la gente tiende a rechazar el Cristianismo por la forma en la cual nosotros como Cristianos vivimos nuestras vidas.

Ya lo mencioné: el Evangelio es ofensivo en sí. El Cristianismo automáticamente asume un Dador de Ley Moral, por lo cual significa que Dios tiene un estándar de bien y mal que tiene que ser sostenido y eso siempre será visto como sentencioso por los que rechazan a Dios. El Dr. Robin Schumaher, especialista en estudios neotestamentarios, está de acuerdo:

"Pausemos un momento para un cotejo de la realidad ["reality check"]. En cuanto a ser sentenciosos, se debe considerar que la historia ha demostrado que el mundo y la naturaleza caída del ser humano nunca verá con buenos ojos las declaraciones Bíblicas en contra del pecado que ama y quiere practicar, a pesar de los personajes estereotipados que tienen la Biblia debajo del brazo, el ceño fruncido y el dedo en el aire."

El problema que tienen los no-creyentes, según el Dr. Schumaher, es que aman y les gusta practicar el pecado, por lo cual nunca van a ver con buenos ojos lo que dice la Biblia sobre el pecado. Y eso es cierto. Sin embargo, el problema que tenemos los creyentes es que estamos constantemente predicando en contra del mundo, pero se hace muy difícil distinguir entre una persona que sigue a Jesús y una que no. La realidad es que no nos debe sorprender cuando los no-creyentes nos vean y nos señalen como hipócritas.

"Estamos constantemente predicando en contra del mundo, pero se hace muy difícil distinguir entre una persona que sigue a Jesús y una que no."

¡Estacionémonos bien!

Yo usaba una frase para defender nuestra conducta como Cristianos: "somos salvos, no perfectos". Desafortunadamente, eso no es suficiente. Aunque la frase es cierta (y es una realidad que no debemos olvidar), para el no-creyente este hecho se convierte en una excusa que da el Cristiano para no dejar de ser hipócrita. De hecho, en vez de ser humildes y admitir nuestro error en comportamiento, nos volvemos defensivos y hostiles. Necesitamos ser mejores que eso. Somos embajadores de Cristo.[22] Para muchas personas, somos el único ejemplo de

Cristo que se encontrarán; somos la única Biblia que leerán. Si lo que mostramos de Cristo está manchado por nuestras vidas que no se parecen a la de Cristo, ¿esperamos que esas personas lleguen a las conclusiones correctas sobre lo que creemos? ¿Esperamos que esas personas puedan ver su necesidad de un Salvador?

Para muchas personas, somos el único ejemplo de Cristo que se encontrarán; somos la única Biblia que leerán.

Desafortunadamente, somos más conocidos por las cosas que señalamos y juzgamos, que por el amor y la compasión que decimos tener. Tiene que ver con ese orgullo que mencioné anteriormente. De por sí no es agradable que te enciendan la luz del cuarto a las tres de la madrugada, pero es peor si van y te saltan en la cama, mientras te apuntan con una linterna en la cara. Nuestro mensaje va a ser recibido de una mejor forma, si mejoramos la forma de llevarlo. Tomemos el ejemplo de Jesús: Él aceptaba y era compasivo con las personas,[23] pero fuerte con los fariseos.[24] Las personas que no conocían la Palabra de Dios se encontraban con alguien a quien daba gusto seguir; ¡hasta los que estaban en contra de Jesús tuvieron que reconocer que había algo diferente (y mejor) en la forma que Él hacía las cosas! [25]

La situación es que muchas personas piensan que la vida es como estacionar su auto: siempre y cuando estés dentro de tus propias líneas, ¡estaciónate como bien te parezca!

Sin embargo, sabemos que la vida no puede ser así. Siempre hay una puerta o un retrovisor que puede estorbar el estacionamiento adyacente; ¡nadie vive totalmente aislado de todos los demás! El problema es que a nosotros nos encanta decirle *"estás mal estacionado"* a otros, sin pensar en cómo lo estamos diciendo, ni en cómo nosotros mismos estamos estacionados. Nadie nunca quiere que le digan que lo que hace está incorrecto, pero lo hacemos peor cuando lo señalamos de forma áspera, juzgona, o burlona y, usualmente, mientras nosotros también hacemos lo incorrecto.

Razones Adicionales

Es importante subrayar que hay gente que en realidad odia a Dios y, por consiguiente, le tiene repelillo a los Cristianos que lo siguen. En la gran mayoría de las muchísimas conversaciones que he tenido con ateos, agnósticos, y otras personas que rechazan el Cristianismo, sale a relucir que no soportan a los Cristianos porque están heridos con Dios, y el ver a Cristianos hace que esa herida sangre. Es otras palabras, el que odien a Dios no tiene que ser necesariamente nuestra culpa. Esas heridas que llevan hacia Dios, son expresadas hacia nosotros, porque somos sus representantes.[26] Por ejemplo, una de las razones por la cual algunos ex-Cristianos rechazaron a Dios (y por la cual muchos no-Cristianos se rehúsan a seguir a Jesús), es por alguna pérdida personal. Oraron a Dios para que sanase a un abuelito, o una mamá, o una pareja, o un hijo de alguna enfermedad terminal... y Dios no los sanó. Tal vez, perdió el empleo porque esa empresa cerró repentinamente, o perdió su casa en algún desastre natural. ¿Dónde estaba Dios? ¿No se supone que Dios nos proteja? Son preguntas válidas y la ausencia de contestaciones que les satisfagan hace que las personas rechacen a Dios o que lo eviten por completo. La realidad es que la gente que tiene heridas en contra de Dios no necesita que nosotros les demos más excusas para rechazarlo.

Además, hay quienes tienden a evitar las iglesias porque, o somos hipócritas, o los pastores se roban el dinero, o hay mucho escándalo sexual, etcétera, etcétera, etcétera. Jesús dijo que nosotros, Sus seguidores, seríamos bienaventurados cuando somos perseguidos, vituperados y dicen toda clase de mal en contra de nosotros, mintiendo.[27]

La realidad es que la gente que tiene heridas en contra de Dios no necesita que nosotros les demos más excusas para rechazarlo.

El problema es que nos persiguen, nos vituperan, y dicen toda clase de mal en contra de nosotros... ¡y es la verdad!

Recuerda: el mundo nos ve como que pertenecemos a un grupo (no nos ve como individuos), y es como grupo que necesitamos ser una sola voz, un solo cuerpo: así como Jesús y el Padre eran uno para que el mundo vea que Jesús es el enviado de Dios -el unigénito-[28], el Camino, la Verdad y la Vida.[29]

Y de eso es que se trata todo este asunto.

Necesitamos vivir vidas que no sean de estorbo para que las personas puedan llegar a Jesús.

No se trata de que la gente de repente nos ame como Cristianos. Se trata de, como dijo Pablo, que glorifiquen a Dios en nosotros.[30] No que te glorifiquen a ti. No es caerle bien a las personas;[31] es que Dios sea glorificado en la manera en la cual nosotros vivimos. Porque cuando eso pasa, la gente no tiene excusas para no seguir a Cristo. Si deciden no seguir a Jesús, va a ser por decisión propia, no porque los Cristianos somos hipócritas, o bélicos, o lo que sea que puedan decir en contra de nosotros; porque no va a ser verdad.

> Necesitamos vivir vidas que no sean de estorbo para que las personas puedan llegar a Jesús.

Pero, ¿cómo?

Es sumamente triste pensar que algo tan bueno, tan grande, tan hermoso, tan esperanzador y tan perfecto como lo es la salvación este disponible para todos, y que muchos no puedan ver lo bueno, hermoso, esperanzador y perfecto que es porque no sabemos expresarlo, o vivirlo, o peor: ¡ambos! Pero, por eso estamos aquí. Soy amante del *"cómo"* de las cosas. Me gusta el qué, pero amo el cómo.

—Tienes que orar.
—Okay. ¿Cómo?
—Tienes que leer Biblia.
—Pero, ¿cómo?
—Tienes que amar a Dios.
—Pero, ¡¿cómo?!

En este capítulo, he planteado el qué: hay un problema fundamental con la forma en que los Cristianos viven. Cada vez se hace más difícil poder llevar el Evangelio a un mundo que lo necesita y eso tiene que cambiar.

Pero, ¿cómo?

Capítulo 2
Regresando a lo básico

Bueno, si estás leyendo estas líneas, estás de acuerdo con que hay algo en la forma en la cual los Cristianos viven sus vidas que provoca que las personas se cierren ante la posibilidad de acercarse a Cristo. Somos los modernos fariseos, hipócritas y todas esas cosas "bonitas" que mencioné en el capítulo anterior.

Prometí que íbamos a explorar cómo ser mejores Cristianos y honestamente creo que se empieza aquí: regresando a lo básico. ¿Por qué? Creo que ayudará mucho a entender de dónde salimos, como Cristianos, para poder poner en una perspectiva correcta nuestra santidad. Pienso que llevamos mucho tiempo presumiendo de un conocimiento marginal de lo que significa ser un seguidor de Cristo; ser verdaderamente Cristiano. Te voy a preguntar directamente: ¿Qué crees que significa ser Cristiano?

Tal vez... ¿ir a la iglesia?

Sin duda, ir a la iglesia puede mejorar mi caminar con Cristo, pero no me hace Cristiano. Es como decir que ir a un circo me convierte en payaso: no tiene lógica.

¿Qué tal... amarlo?

Bueno, eso es súper importante, pero la realidad es que amamos a Jesús siguiendo sus mandamientos.[32] Por el momento, lo que queremos saber es qué nos hace Cristianos, no cómo amamos a Jesús.

¡Ah! ¡Pues entonces somos Cristianos si seguimos los mandamientos de Jesús!

¡Exactamen... espera.

Creo que, muchas veces, intentamos llegar a la contestación de esta pregunta tratando de comenzar por un lugar equivocado.

Ser Cristiano no comienza con algo que hacemos (como ir a la iglesia, amar a Jesús, o seguir Sus mandamientos). Todas las cosas que hemos mencionado (y otras que tal vez no se han dicho) son cosas que hacemos (o deberíamos hacer) porque ya somos Cristianos. Pero, ¿cómo llegamos a ser

Cristianos? No es por nada que tú o yo hicimos.

Fue por algo que hizo Jesús.

La Historia de la Salvación

¿Alguna vez has pensado qué, exactamente, es la salvación? ¿Por qué se necesita? Cuando nos preguntan "¿eres salvo/a?" contestamos con un enfático "¡sí!", pero ¿sabemos bien qué es lo que significa para nosotros?

Empecemos por aquí: Dios creó.

Sencillo, ¿verdad?

Ahora bien, cuando Dios creó, impartió parte de quién Él es en esa creación. Por eso es que la Biblia dice que podemos ver en la creación "las cualidades invisibles de Dios: su poder eterno y su naturaleza divina".[33] ¿Nunca te has puesto a pensar por qué el universo es infinito? Pues, ¡porque Dios es infinito y ha puesto parte de quién Él es en Su creación! Así, vemos ejemplos de Su grandeza, Su hermosura y Su perfección en diversos aspectos de la creación.

Y eso nos incluye a nosotros.

Dios hizo al ser humano a Su imagen y semejanza,[34] eso implica que tenemos algo de esas cualidades de Dios. Por ejemplo: nos gusta crear porque Dios es creador. Amamos amar porque Dios es amor. Buscamos la verdad porque Dios es la verdad absoluta, y así sucesivamente. Todas las mejores cualidades del ser humano están ahí porque estamos hechos a la imagen de Dios. No es que nosotros somos dioses, sino que nuestro Creador ha dejado trazos de quién es Él en nosotros. Si sacamos a Dios del panorama, muchas cualidades del ser humano dejan de tener un fundamento sólido que las explique. Por eso es que quienes tratan de eliminar a Dios de su realidad humana con sus mentes se enfrentan con un dilema: la Biblia dice que Dios sembró la eternidad en los corazones de las personas[35] (así como Él es eterno). No podemos negar el hecho de que estas cualidades apuntan a un solo lugar: nuestro Creador. En fin, Dios nos creó a Su imagen y vio que era bueno...[36]

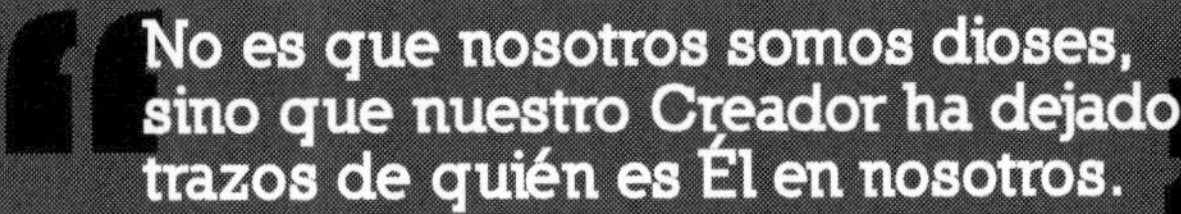

Y entonces, llegó el pecado.

¿Qué es pecado? Pecado es el acto de desobedecer una orden de Dios o romper una ley divina. En el caso de Adán y Eva, esa ley dada por Dios era sencillísima: "No comas del árbol del conocimiento del bien y el mal."[37] Y ya todos sabemos cómo les fue a Adán y a Eva con eso. Pecaron. Rompieron una ley divina, una orden dada por Dios mismo. Así, pues, Adán y Eva conocieron el bien y el mal de forma directa, y no a través de la instrucción y guianza de Dios. Por ejemplo, yo quiero que mis hijas estén apercibidas de que existe el mal en el mundo, pero no las llevo a escenas de crimen; les enseño según crece su capacidad de entenderlo. Por esto es que Dios no quería que comieran del árbol del bien y el mal. Adán y Eva lo conocieron repentinamente y supieron, en ese mismo momento, que hacer el mal tiene consecuencias a corto y a largo plazo.

Así que el pecado distorcionó la imagen de Dios que Él puso en nosotros. Si Dios era el bien absoluto, el pecado es lo opuesto: el mal absoluto. Si Dios es vida, entonces el pecado es muerte; y todo lo que el pecado toca, muere. Y el pecado entró en el mundo gracias a uno que abrió esa puerta. Pablo explica:

"[...] como el pecado entró en el mundo por un hombre, y por el pecado la muerte, así la muerte pasó a todos los hombres, por cuanto todos pecaron."[38]

Bienvenidos al problema.

Todos hemos pecado; todos hemos roto la ley divina de Dios de alguna manera.[39] Aunque hayamos roto sólo una ley divina, somos igual de culpables como si las hubiésemos roto todas.[40] Cualquier pecado rompe la ley de Dios. Ahora, como hemos desobedecido la ley, hemos pecado; y como hemos pecado, somos esclavos del pecado.[41] Nos atrae y nos domina. Necesitamos a alguien que nos libere de las cadenas del pecado para ya no ser esclavos de él. ¡Alguien que nos ofrezca salvación! La consecuencia de romper una ley divina y eterna es la muerte eterna. Nota que el castigo no responde a la acción de pecar, sino contra quién se peca. Por ejemplo, ¿qué pasaría si yo asesino una cucaracha? Nada, aparte de lágrimas de gozo y los abrazos de agradecimiento que recibiría de algunos de ustedes. Ahora, ¿qué pasa si yo asesino el perrito de mi vecino? Pues, probablemente pueda dormir mejor por las noches (porque ladra tanto y tanto), pero me buscaría una gran demanda civil de parte del dueño o cárcel. Ahora, ¿qué pasa si yo asesino a otra persona? Ahora tiempo en una prisión es lo mínimo que podría esperar. Nota que la acción siempre es la misma: asesinar. Sin embargo, el castigo que recibo depende de contra quién se comete la acción.

Entonces, pensemos: ¿Cómo debe ser el castigo de una acción en contra de un ser eterno?

El castigo tiene que ser eterno.

Así que el castigo por pecar -es decir, por

romper una ley eterna y divina- es perder la vida eternamente.[42]

Entonces, ya entendemos porqué el tiempo del castigo debe ser eterno, pero ¿por qué hay que pagar con la vida? Imagina que te prestan un auto nuevo y lujoso... y lo chocas. No fue un choque catastrófico, pero lo suficiente como para catalogar el auto como pérdida total. Al chocar, inmediatamente quedaste en deuda con el dueño del auto: le debes un auto nuevo. Ahora imagina que el dueño te lleva a tribunal. Te sientan en la sala de justicia y puedes ver evidencia tras evidencia en contra tuya. Hay un vídeo de ti texteando, mientras que pierdes la curva y chocas con un árbol. ¡Hay hasta testigos que te vieron hacerlo! No hay forma de evitarlo: eres culpable. Y el Juez, que es el mejor y más justo juez de todo el universo, ha dado la sentencia: tienes que cumplir con tu deuda; tienes que reponer el auto que dañaste. ¡El problema es que no tienes los recursos para comprar un auto nuevo! Ahora bien, la diferencia es que Adán no chocó un auto, sino que dañó la vida perfecta y sin pecado que Dios le prestó. ¿La deuda? Hay que reponer esa vida perfecta y sin pecado. El problema es que, desde Adán, el pecado dañó la naturaleza divina y la convirtió en una naturaleza pecaminosa para Adán y para todos los que vendríamos después de Él. El salmista David lamentaba esta realidad en uno de sus Salmos.[43] Así que ni tú ni yo tenemos esa vida perfecta. De hecho, nadie la ha podido tener. Como consecuencia a nuestros pecados, estamos sentenciados a una muerte eterna, porque nuestra transgresión fue contra un ser eterno. Además, hay que pagar con nuestras vidas, porque debemos una vida. Sencillamente, a nuestros hechos malvados les corresponde un castigo igual de malvado.

Ya saben hacia dónde voy.

La muerte de Jesús no solo fue muerte. Jesús fue torturado durante horas[44] hasta que finalmente murió. Muchos no sobrevivían el proceso hasta ser crucificados, *nadie* sobrevivía la crucifixión. Los detalles médicos de qué sucedía durante el proceso de crucifixión son inhumanos; era una tortura y muerte reservada para los peores delincuentes. Desde latigazos con látigos que contenían pedazos de piedras y huesos para desgarrar la piel que golpeaba, hasta clavos enormes puestos para que tocaran los nervios que más producen dolor. Los crucificados morían asfixiados, cuando su tórax se enterraba en su tráquea y cortaba el aire a los pulmones. Para poder respirar, los crucificados tenían que apoyarse sobre el clavo que traspasaba sus pies, y hacer fuerza sobre los clavos de sus muñecas, alzándose lo suficiente para tomar un aire. El dolor los obligaba a caer, cortando la respiración nuevamente, y empezando el proceso de nuevo. Los soldados encargados de las crucifixiones no podían abandonar el área hasta que cada víctima hubiera muerto, lo cual podría durar días. A veces, para acelerar el proceso de muerte, los soldados hacían una de varias cosas: usualmente rompían los huesos de la pierna baja (la tibia, fíbula o ambos), pero también apuñalaban con una lanza el costado, y seguían buscando dentro del cuerpo hasta llegar al corazón. A veces les daban golpes en el pecho con varas a los crucificados o encendían un fuego a la base de la cruz para que el humo acelerara el proceso de asfixiar a la víctima.

Para que ni tú ni yo tengamos que pagar este precio de muerte por lo que hicimos, Jesús se paró delante de aquel Juez justo y le dijo: "Yo voy a pagar este precio."[45] Jesús murió nuestra muerte: una muerte grotesca, porque nuestro pecado es grotesco. Así como a Barrabás[46], nos liberaron a nosotros, siendo 100% culpables. Un hombre perfecto, sin una onza de pecado en Él, murió para salvarnos del castigo que nos correspondía. No lo merecíamos. Nadie. Ninguno de nosotros. Pero Él lo hizo de todos modos. Es como si estuviéramos en el juicio del auto que chocamos y alguien llega y dice: *"Yo tengo un auto nuevo como pago de la deuda."*

Enfatizo este punto sobre la muerte de Jesús con dos propósitos. Primero, es importante que entendamos que no fuimos nosotros los que morimos por los demás, sino que merecíamos esa muerte por *nuestros* pecados. En otras palabras: no es que necesariamente unos tengan menos pecados que otros, sino que todos tenemos pecados diferentes, porque *todos* hemos pecado. Así que, cuando decimos que Jesús murió en la cruz por nuestros pecados, estamos hablando de que el castigo por pecar que nos tocaba (i.e. la muerte), lo recibió Él y no nosotros. Este hecho satisfizo el Juez justo y ya no tenemos que pagar ese precio.

Segundo, la muerte de Jesús implica algo que me choca, me trabaja y me quita el sueño. Ya hablamos sobre cómo el comportamiento de los Cristianos hace que las personas se cierren a la posibilidad de esta salvación tan hermosa que tanto necesitan. Pienso que el problema de nuestro comportamiento empieza con una sencilla realidad:

Cristo dio su vida por nosotros, pero nosotros no vivimos nuestra vida por Él.

"Cristo dio su vida por nosotros, pero nosotros no vivimos nuestra vida por Él."

La Compartimentación de Nuestra Fe

Por alguna razón, dentro de las iglesias hay una ideología peligrosa: que el Cristianismo es algo absolutamente privado y personal. Como si nuestra vida tuviese compartimentos donde se guarda la fe cuando no se está usando; un lugar en el cual separamos nuestras creencias de nuestro diario vivir. En pocas palabras: gritamos "¡amén!" cuando dicen que tenemos que depender de Dios, pero no tomamos en cuenta a Dios cuando nos toca tomar decisiones. Hay una dualidad en nuestras vidas, donde nos encendemos con Dios en la iglesia, pero permanecemos fríos en nuestras vidas cotidianas. No somos calientes ni fríos, viviendo nuestras vidas en una temperatura tibia y cómoda.

Y la Biblia habla de nosotros los tibios así:

"Conozco tus obras; sé que no eres ni frío ni caliente. ¡Ojalá fueras lo uno o lo otro! Por tanto, como no eres ni frío ni caliente, sino tibio, estoy por vomitarte de mi boca. Dices: 'Soy rico; me he enriquecido y no me hace falta nada'; pero no te das cuenta de que el infeliz y miserable, el pobre, ciego y desnudo eres tú."[47]

Quiero citar al pastor y autor Francis Chan en este asunto:

"Muchas personas leen este pasaje y suponen que Jesús está hablando de personas Cristianas. ¿Por qué? Cuando usted lee el pasaje, ¿llega a la conclusión natural de que ser 'vomitado' de la boca de Jesús significa que eres parte de su reino? Cuando lees las palabras 'infeliz,' 'miserable,' 'pobre,' 'ciego' y 'desnudo', ¿piensas que Jesús está describiendo a los santos? Un Cristiano 'tibio' es una contradicción; no existe tal cosa. Para decirlo claramente: los que asisten a la iglesia que son 'tibios' no son Cristianos. No los veremos en el Cielo."[48]

Esto no es muy difícil de comprender. Hay una diferencia entre la persona que tiene a Dios como parte de su vida y la persona que sabe que su vivir es Dios. Para el primero, Jesús es alguien a quien admirar; para el segundo, Jesús es alguien a quien imitar. Por supuesto, siempre se utiliza el "¿Qué haría Jesús?" para las cosas grandes, porque a Dios no le importan las cosas pequeñas, ¿verdad? Sin embargo, es en esas cosas pequeñas donde se define nuestra integridad. Si tenemos falta de integridad dentro de la iglesia –la cual se supone sea íntegra– entonces ¿qué estamos ofreciendo? Si vivimos de una manera en la iglesia y vivimos de otra fuera de ella, ¿cuál es el supuesto cambio que Cristo trae a nuestras vidas?

Si vivimos de una manera en la iglesia y vivimos de otra fuera de ella, ¿cuál es el supuesto cambio que Cristo trae a nuestras vidas?

Ningún no-creyente va a querer entrar en un sistema así. Es más, ni a los mismos creyentes les gusta. Si un creyente cree que esa es la manera que una iglesia opera, ese creyente será un no-creyente en poco tiempo. Parecería que el hecho de que la Biblia describa al mundo real (y que le dé importancia a cómo debemos comportarnos) es algo extraño para muchos Cristianos. La realidad es sencilla:

Si no actuamos según nuestras creencias, es probable que no las tengamos.

Peor aún: si las tenemos y no actuamos sobre ellas, ¿a quién le va a importar creer en Jesús?

Esta compartimentación radical de nuestra fe se opone a la vida que establece la Biblia que un Cristiano debe tener.[49] Los Cristianos dicen que aceptan este estilo de vida de seguir a Cristo, pero es muy difícil encontrar evidencia de que, verdaderamente, *crean* en este estilo de vida. Como ya hemos visto en otros asuntos, Jesús no sólo nos pide seguirlo. De hecho, es lo último que pide de nosotros. Primero nos pide negarnos a nosotros mismos, luego nos pide que tomemos nuestra cruz, y después es que dice que le sigamos.[50] Sin duda, queremos seguirle. El problema es que no estamos dispuestos a negarnos a nosotros mismos, ¡que es lo primero que tenemos que hacer para poder seguirle!

> **“Si no actuamos según nuestras creencias, es probable que no las tengamos.”**

Para decirlo de manera sencilla: estamos dividiendo nuestras vidas en secciones (o compartimientos) y le aplicamos la mentalidad Cristiana solo a algunas partes. Cada vez que necesitamos tomar decisiones que no tienen que ver con Dios directamente, no tendemos a pensar en Dios en lo absoluto. Es casi como si Dios no existiese fuera de la iglesia: ¡somos ateos a tiempo parcial! ¿Cuándo fue la última vez que pensamos en lo que dice la Biblia cuando un amigo(a) nos pidió un consejo de su vida amorosa? ¿O cuándo fue la última vez que abrazamos a un mendigo sucio y maloliente? ¿Expresamos amor por la persona que, irresponsablemente, casi impacta nuestro auto y ocasiona un accidente? ¿Estudiamos o trabajamos pensando que reflejamos a Cristo en todo lo que hacemos? Yo no recuerdo la última vez que le pedí a Dios que me diera la oportunidad de poder hablarle de Jesús a alguien, ¿y tú?

Y de todo esto se trata ser Cristiano.

¿Recuerdas que hace par de páginas mencioné que el ser Cristiano comenzaba con algo que Jesús hizo? Pues, comenzó con el hecho de que Él tomó nuestro lugar en la cruz y murió la muerte que nos correspondía. Eso hizo que se rompieran las cadenas que nos ataban al pecado. Lo que esto significa es que somos libres, no para pecar haciendo lo que sea que nos apetezca, sino para vivir una vida cumpliendo las cosas que dijo Jesús; empezando por "amar a Dios sobre todas las cosas" y "amar a nuestro prójimo como a nosotros mismos".[51] No te preocupes, vamos a ver qué exactamente significan esas dos cosas luego. Por ahora, quiero enfatizar algo sencillo: no estamos viviendo de acuerdo con las cosas que dijo Jesús que cumplieramos. ¿Por qué? Porque estamos dejando que la salvación que Él nos consiguió solamente afecte la parte de nuestras vidas que va a la iglesia... o se encuentra con el pastor en el supermercado.

No se trata de ser una "buena persona"

Eso de que Jesús murió, tomó nuestro lugar y recibió el castigo que nos tocaba es importante. Es lo *más* importante. Gracias a ese gran acto es que tenemos la libertad de hacer lo correcto (porque ya no somos esclavos del pecado). Pero no sólo eso, sino que gracias a ese acto, hacer lo correcto tiene peso y validez eterna. Por eso es que la salvación no es por obras, pero, una vez obtenida la salvación, son nuestras obras lo que reflejan la libertad que Cristo nos adquirió. Como Jesús mismo dijo: "por sus frutos los conocerán".[52]

Déjame explicarte cómo funciona. A mi mamá le dio cáncer hace unos años atrás. Ella hacía ejercicio, se alimentaba muy bien, no fumaba y tenía buenos hábitos de salud. Sin embargo, el problema que ella tenía no era las cosas que estaba haciendo por su bien, sino el cáncer que yacía dentro de ella. Fue al doctor como de rutina y pudieron detectar el cáncer a tiempo. Luego que él oncólogo la pudo operar exitosamente, al darle de alta, el le dijo: "Ahora tienes que mantener buenos hábitos de salud: tienes que hacer ejercicios, comer saludable y no fumar." Gracias a Dios, mi mamá se encuentra en excelente estado y todo el asunto me enseñó algo importante: así como tener buenos hábitos de salud no sirven de nada cuando uno está enfermo de cáncer, hacer buenas obras cuando uno está "enfermo" de pecado no sirven de nada. Hay que primero quitar el "cáncer" para que lo que se haga después cobre valor. Lo resumo de la siguiente forma:

Primero tiene que Jesús librarnos del pecado, para que nuestras buenas obras cobren significado.

No quiero ignorar que hacer buenas obras te hace una mejor persona. ¡Sin duda alguna! Pero, Dios no quiere personas mejores, ¡quiere personas transformadas! Si yo quiero hacer que un caballo sea mejor, lo entreno para que corra más rápido o salte más alto. Pero, si yo quiero transformar ese caballo, debo hacerlo nuevo (no mejor); tengo que transformar su naturaleza. Por lo tanto, el caballo no se entrena, sino que se le dan alas. Así, ya no solo corre y salta (naturaleza normal), sino que vuela (naturaleza transformada). De igual forma, la Biblia nos dice que cuando uno está en Cristo (es decir,

> **Primero tiene que Jesús librarnos del pecado, para que nuestras buenas obras cobren significado.**

cuando dejamos que la muerte de Jesús sea la sustitución por la muerte que nos tocaba), entonces somos nuevos.[53] Transformados. ¿Cómo así? Una de las cosas más significativas que la muerte de Jesús nos consiguió fue la libertad de la esclavitud que teníamos al pecado, por lo tanto esa naturaleza pecaminosa que nos sostuvo por tanto tiempo, ya no tiene agarre.[54] Ahora, la naturaleza divina de Dios puede tomar parte. Recuerda, Dios y el pecado son mutuamente excluyentes: donde hay uno el otro no está. Así que sólo cuando Dios nos libera del pecado es que Él puede morar en nosotros, vía el Espíritu Santo. Y este cambio de naturaleza no es sin sus dificultades. La transición no necesariamente es fácil:

"Imagina que eres una casa viviente. Dios ha llegado a reconstruir la casa. Al principio, puedes entender lo que está haciendo. Está cambiando ventanas rotas, sellando las filtraciones del techo y cosas así; sabías que esos trabajos hacían falta, por lo cual no estás sorprendido. Pero ahora, está

dando golpes a la casa de una forma que duele muchísimo y no parece tener sentido. ¿Qué rayos está haciendo? La explicación es que Él está construyendo una casa muy distinta a la que tenías pensada. Está haciendo un cuarto nuevo aquí, levantando torres y ampliando el patio. Pensabas que Él te estaba convirtiendo en una cabaña, pero Dios está construyendo un palacio. Y tiene la intención de vivir en él."[55]

No se trata de ser una buena persona. La salvación no es ganada haciendo algo, sino que se nos otorga por Aquel que ya hizo. Fuimos salvos para buenas obras[56], no es que hacemos buenas obras para ser salvos. Ya que somos salvos (es decir: el Doctor nos quitó el "cáncer"), las obras que hacemos tienen ecos eternos. Ahora nos toca amar a Jesús y seguir sus mandamientos y todas esas cosas que hemos mencionado (y varias más que tocaremos luego).

La Guerra del Interior

Tristemente, aunque somos libres de las cadenas del pecado, seguimos con la mentalidad de esclavo.

¿Sabes por qué?

Porque el pecado apela a nuestras pasiones y deseos de la carne. Dice la Biblia que somos tentados, seducidos y arrastrados[57] por estos deseos. De hecho, es de esos deseos que nacen los actos pecaminosos[58], los cuales nos regresan a lo que Cristo rescató desde un principio. ¿Recuerdas la historia de Oseas y Gomer?[59] Dios le pidió a Oseas que escogiera una mujer prostituta como esposa. Oseas, siendo obediente a Dios, escogió a Gomer, y se enamoró de ella. Sin embargo, ella se escapaba de su casa y le era infiel a Oseas, a pesar de que él la amaba. Tanto fue así, ¡que Oseas no estaba seguro de cuáles hijos eran de él y cuáles les pertenecían a otros hombres! Llegó un punto en el cual Oseas tuvo que ir y pagar por su esposa -¡pagar por algo que ya era de él!- para redimirla de sus caminos. Todo esto para ilustrar que, así como Oseas amó a Gomer a pesar de que ella le era infiel, Dios ama a su pueblo aunque es infiel y pagó un precio por redimirlo. Un precio altísimo.

Pero, como Gomer, regresamos al lugar de dónde Dios nos rescató. Tú y yo.

¿Podemos ser lo suficiente sinceros como para admitir que el pecado nos gusta? Si no, no sería algo que nos atraiga, ¡y jamás seríamos tentados! Estamos en una guerra interna constante con nuestros deseos, porque seguimos con la mentalidad de esclavo. Hay una parábola de los indios Cherokee que resumen este conflicto. La parábola es de un jefe Cherokee que le dice a su nieto que dentro de nosotros hay dos lobos en guerra: uno bueno y uno malo. Cuando el niño le pregunta "¿quién gana?"

el jefe le dice: "Gana el lobo que tú alimentes." La Biblia lo dice de la siguiente manera:

"Por eso les digo: dejen que el Espíritu Santo los guíe en la vida. Entonces no se dejarán llevar por los impulsos de la naturaleza pecaminosa. La naturaleza pecaminosa desea hacer el mal, que es precisamente lo contrario de lo que quiere el Espíritu. Y el Espíritu nos da deseos que se oponen a lo que desea la naturaleza pecaminosa."[60]

Estas dos fuerzas (sigue el versículo) están constantemente oponiéndose entre sí. Interesantemente, el viejo jefe Cherokee dijo algo que también se puede aplicar en la pelea entre nuestra naturaleza pecaminosa y nuestra naturaleza divina: gana en nosotros la naturaleza que alimentemos.

¿Cómo alimentamos esa naturaleza divina en nosotros? Teniendo tiempo con Dios, estudiando Su palabra y siguiendo Sus mandamientos. Cabe mencionar que no hay una postura neutral en este asunto: cuando no se alimenta a uno, automáticamente alimentas al otro.

No te preocupes. Antes de que leas la última página, hablaremos cómo pasar tiempo con Dios, cómo estudiar Su palabra, y cómo seguir Sus mandamientos. Toquemos este último punto en el próximo capítulo.

Capítulo 3
Gentiles, pero Groseros

Hubo un pastor que me dijo algo hace muchísimos años que todavía resuena en mi corazón, y, convenientemente, sirve de resumen para los últimos dos capítulos:

> Vivir para Dios a medias es un insulto a la cruz de Jesús.

No hay forma bonita de decirlo, ni se puede ser políticamente correcto con esto: pisoteamos y escupimos la sangre que Jesús derramó como precio de nuestros pecados cuando no vivimos a la altura de Cristo. Quiero subrayar este asunto con una ilustración:

Te presento a la señora "X". A ella le gusta ser voluntaria en el hogar de niños maltratados, le ha sido infiel a su esposo una sola vez, acostumbra a pagarle el almuerzo a algún compañero de trabajo, hace trampa en la hoja de impuestos de su país, es una excelente amiga, y no es cortés con los demás choferes cuando anda en su auto. Ahora, conoce a la señora "Z". Ella siempre deja propina por encima del 15%, le gusta el chisme, sus consejos siempre son sabios, tiende a ser efectiva manipulando a otros para conseguir algo que quiere, sus abrazos son riquísimos y restauradores y usa los estacionamientos de impedidos a pesar de que ella no los necesita.

¿Qué dirías si te digo que una de estas dos señoras dice que es Cristiana? ¿Podrías identificar cuál es? ¿Tuviste que pensarlo? ¿No te preocupa que no sabemos distinguir entre una persona Cristiana y una que no lo es?

A mí sí.

De hecho, es la razón por la cual escribo. Nuestro comportamiento como Cristianos afecta cómo las personas ven el Evangelio de Cristo. La forma en la cual vivimos nuestras vidas influye (positiva o negativamente) cómo la gente reacciona al enfrentarse a un Jesús crucificado. Pero, si la muerte de Jesús por nosotros no afecta *toda* nuestra vida, ¿para qué seguir a Cristo? Si lo único que cambia es que ahora no me puedo levantar tarde los domingos porque tengo que ir a la iglesia, ¿para qué seguir a Cristo? Si como quiera no hay que pensar en Dios para tomar decisiones, ¿para qué seguir a Cristo?

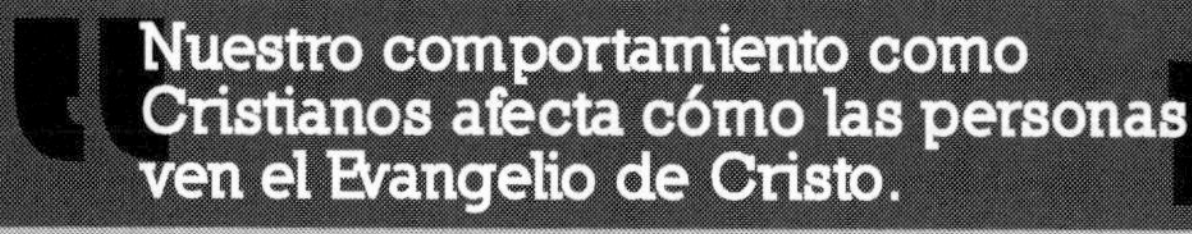

Sobre clavos y frentes

Pienso que es un simple hecho de desobediencia versus obediencia. Dios nos da un mandamiento y está de nuestra parte obedecer o no. Cuando obedecemos estos mandamientos, estamos aceptando que Dios no es arbitrario ni caprichoso. Y esto es importante, porque le estamos diciendo a quienes nos rodean que Dios no dice las cosas porque sí, ni para hacernos la vida imposible, ni porque a Dios no le gusta que disfrutemos de la vida. Lo que les estamos demostrando es que los mandamientos que Dios nos da tienen un propósito y son a base de Su amor por nosotros. Es decir, Dios no dice las cosas para hacernos sufrir ni porque Él es malo, ¡sino para protegernos de las cosas que pueden dañarnos!

Piénsalo.

Dios da una instrucción y tenemos dos opciones: obedecer la instrucción o desobedecerla. Si Dios nos creó, es lógico pensar que Él conoce cómo funcionamos, por lo cual las instrucciones que Él nos da son para maximizar el funcionamiento de ese ser que creó. Además es lógico pensar que si nos rebelamos en contra de la instrucción y no la seguimos, entonces no nos va a ir muy bien. Sin embargo, cuando rompemos la instrucción y nos va mal, ¡tendemos a enfadarnos con Dios por ello! Por ejemplo, supongamos que yo le digo a mi hija: “No uses tu frente como martillo.” Es una instrucción bastante sencilla de seguir. Si mi hija no obedece y se rebela en contra de mi instrucción, se está alejando de lo que yo quiero para ella y de lo que ella debe querer para sí misma. Asumamos, pues, que ella piensa que la instrucción de su padre no tiene nada que ver con su realidad: que la instrucción que yo le di es sólo un atentado de mi parte para hacerle la vida “imposible” y que ella “no se pueda divertir”. Ahora, imagina que mi hija quiere colgar un cuadro en su cuarto. Ella agarra el clavo contra la pared, echa su cabeza hacia atrás y…

No tengo que seguir. Ya se imaginan lo que sucedió.

El problema es que nos sorprendemos cuando desobedecemos a Dios y recibimos las consecuencias de nuestras acciones. Es como si mi hija, luego de desobedecer, me reclamara: “¡Mi cabeza! ¡¿Cómo sucedió eso?! ¡Qué raro que no funcionó!”

Al intentar cambiar lo que Dios mandó, esta sociedad moderna está normalizando conductas, ideas y prácticas que van en contra de lo que Dios quiere para nosotros. El problema es que esto está entrando a nuestras iglesias y es tan fuerte que la iglesia ha estado cambiando. En vez de que la Iglesia de Cristo moldee la cultura, la cultura está moldeando la Iglesia de Cristo. Una sociedad que no conoce a Dios nos está dictando sus ideas y hemos comenzado a adoptarlas. Peor aún, las aceptamos porque nosotros mismos no conocemos a Dios del todo. Tenemos una leve idea de quién es Él, pero nuestras Biblias se llenan de polvo desde el domingo en la tarde hasta el sábado por la noche. Además, si no es en la iglesia, no sacamos tiempo para orar. Amados míos, si no creemos que las instrucciones de Dios tienen que ver con toda nuestra realidad, no vamos a verlo en ningún aspecto de ella. Es entonces que nos molestamos con Dios y decimos que es injusto porque creemos que deberíamos tener habilidad y el derecho para poder desobedecer los mandamientos de Dios, e intercambiarlos por nuestro propios deseos (por más daño que nos hagan). Es decir: ¡queremos martillar clavos con nuestras frentes sin consecuencias! Cuando salimos del diseño de Dios, creemos que podemos desobedecer Sus instrucciones, y tener los resultados bonitos que deseamos. Cuando hacemos esto en nuestras iglesias, nadie -ni siquiera Jesús mismo- va a poder explicar ni defender el hecho de que hay creyentes que les gusta romperse la frente martillando clavos.

¿Qué quiero decir con esto?

> **Si no creemos que las instrucciones de Dios tienen que ver con toda nuestra realidad, no vamos a verlo en ningún aspecto de ella.**

Si las personas que no son creyentes no siguen las instrucciones de Dios y las personas que sí son creyentes tampoco... entonces, ¿qué nos queda? Una imagen de Dios (y de Su iglesia) distorsionada.

El principio de principios

Poco a poco hemos ido aceptando ciertas conductas incorrectas bajo la noción de que "los tiempos cambian". Y es cierto. Las situaciones que enfrentaban los autores de la Biblia no son comparables a las que enfrentamos ahora. No hay mandamientos de Dios sobre cómo conducir un auto o qué película escoger. Es cierto que la información disponible ahora es muchísimo más abundante que en aquellos tiempos. Sin embargo, lo bueno de la Biblia es que lo que trae son principios que se pueden aplicar aún en nuestros tiempos. La cultura cambia, pero Dios no. En la Biblia podemos leer cómo esos principios eran aprendidos y aplicados a esos tiempos y cuando logramos entender y aplicar esos principios a nuestros tiempos, entonces entendemos cómo es que la Palabra de Dios es viva y eficaz[61] y vamos a ser como los hijos de Isacar, que eran personas que "conocían las señales de los tiempos y sabían cuál era el mejor camino para Israel".[62]

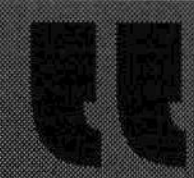
La cultura cambia, pero Dios no.

Y de eso se trata: que la Biblia se vuelva nuestra vida y podamos entender cómo aplicar esos principios en situaciones modernas. No se trata de modernizar un libro "arcaico", sino de aprender la aplicación de principios en nuestras vidas a base de unas verdades que no tienen fecha de expiración y que nos aplican a todos.

Para poder lograr esto, primero tenemos que identificar qué instrucciones de las que Dios dio tienen esas propiedades que mencionamos: aplican en cualquier tiempo y aplican a todos por igual. A través de la Biblia vemos una cantidad significativa de leyes y mandatos que Dios da. ¿Nunca te has preguntado por qué hay algunas de esas leyes y mandatos que Dios dio que ya no seguimos? Pues, vamos a ver.

Todos los mandamientos de Dios que fueron

dados al pueblo de Israel a través del Antiguo Testamento, se pueden clasificar en tres grupos. En el primer grupo tenemos los que se conocen como las Leyes Sacerdotales. Éstas tenían que ver con los sacerdocios Levíticos y Aarónicos, representando el futuro y más alto Sacerdote, conocido como Jesús, quien se sacrificó en la cruz por nosotros. Estos son los mandamientos que tenían que ver con todo, *absolutamente todo* lo relacionado a acercarse a Dios: cómo y cuáles sacrificios ofrecer por tal o cual pecado, cómo sería el Tabernáculo, qué era lo que se hacía en el lugar santo, cómo purificarse para entrar al lugar santísimo y cosas relacionadas. La razón por la cual no tenemos que seguir estos mandamientos para acercarnos a Dios es sencilla: Jesús, el más alto y perfecto Sacerdote,[63] se acercó a Dios por nosotros y nos dio acceso libre a Él.[64] Eso significa que estas leyes ya no son necesarias para poder acercarnos a Dios y agradarlo. ¿Cómo se sabe? El velo se rasgó cuando murió Jesús[65] y tenemos acceso directo al Padre, sin necesidad de un sacerdote que cumpliese todas las leyes requeridas para ir al Padre por nosotros, porque Jesús ya las cumplió una vez y por todas.[66] Él nos dio acceso cumpliendo la Ley y rasgando el velo. En pocas palabras: el que Jesús haya cumplido las leyes Sacerdotales significa que ya no tenemos que sacrificar un animal por nuestros pecados, ni esperar que alguien cumpliese una cantidad compleja de requisitos para acercarse a Dios por nosotros, como lo decía la ley. El sacrificio de Jesús fue perfecto, para poder tener acceso a Dios para siempre.

La segunda categoría de mandamientos se conocen como las Leyes Cívicas. Las Leyes Cívicas (o Civiles) eran las que dominaban el día a día del pueblo de Israel y deben ser entendidas bajo el contexto de una teocracia.[67] Aunque casi siempre la nación Judía era encabezada por un rey, tenía un sistema teocrático, por lo cual utilizaban las Escrituras como guía.

Además de que estos mandamientos fueron escritos en el contexto de una teocracia, estas leyes cívicas eran para una nación nómada que vivía en el desierto, miles y miles de años atrás. Ya sabemos la historia: con Moisés, el Faraón, las plagas, el Éxodo, Mar Rojo, etc.[68] Dios quiso separar a su pueblo de todas las naciones que los rodeaban[69]. Por eso, los mandó a vivir vidas diferentes en todos los aspectos de ella, literalmente. Las leyes cívicas abarcan absolutamente todos los aspectos de la vida diaria de un judío. Por eso es que hay leyes sobre cosas como afeitarse y cortarse el cabello,[70] qué telas utilizar para vestirse,[71] ¡y hasta cómo vestirse![72] También habla de lo que deben hacer la mujeres durante su periodo de menstruación (¡a dormir en otro cuarto aparte y sin salir de casa![73]). Además, Dios diferenciaba su pueblo de las naciones que le rodeaban al prohibir ciertas cosas que eran parte de rituales paganos (por ejemplo, como tatuarse con el propósito de participar en rituales de muerte,[74] o sacrificar niños[75]) y otras leyes injustas que practicaban. Dios le dio a los Israelitas leyes justas, porque Él es justo. Gracias a esto, en Israel se establecieron prácticas legales razonables (como tener testigos antes de culpar a alguien[76]) y otras cosas que se utilizan en tribunales hoy día.

También, bajo estas circunstancias, ciertas prácticas y comidas eran prohibidas. ¿Por qué? Para mantener el pueblo de Israel culturalmente unido. Además, es enteramente lógico pensar que Dios estaba protegiendo a Su pueblo de enfermedades asociadas con alimentos al prohibir ciertas comidas (algunas aves, carnes, sangre, grasa y otras cosas raras[77]), ya que las prácticas de esterilización y limpieza de alimentos no era tan impresionantes y reguladas como lo son hoy día.

Otra cosa que debemos considerar es que los primeros Cristianos eran todos Judíos; y todos seguían las leyes Judías, incluyendo lo de la comida, guardar el sábado,[78] y las demás 600+ leyes que se delinean a través del Antiguo Testamento. Luego de que Jesús cumpliera Su ministerio y ascendiera al Cielo,[79] más y más gentiles (personas que no eran Judías y con diferentes costumbres: como tú y yo) empezaron a convertirse a la fe Cristiana. Esto presentó un problema para los líderes que

Jesús había establecido: los apóstoles. Todo judío sabía que asociarse con una persona gentil o semi-gentil (como era el caso de los Samaritanos) era una impureza,[80] porque los gentiles tenían sus propios dioses y costumbres de las cuales Dios quería guardar al pueblo de Israel. Habían muchos hermanos creyentes de la época que decían que los gentiles que se convertían a la fe tenían que judaizarse, es decir: tenían que seguir las leyes de Moisés para que pudiesen ser salvos.[81] Sin embargo, Pedro (quién era un Judío estricto con la ley y había recibido la famosa visión del lienzo con muchos animales "impuros" para que comiera[82]), tenía algo que decir al respecto. Con la autoridad dada por Jesús mismo,[83] él se levantó en medio del concilio en Jerusalén y le dijo a todos los demás apóstoles y a los ancianos lo siguiente:

"Hermanos, todos ustedes saben que hace tiempo Dios me eligió de entre ustedes para que predicara a los gentiles a fin de que pudieran oír la Buena Noticia y creer. Dios conoce el corazón humano y él confirmó que acepta a los gentiles al darles el Espíritu Santo, tal como lo hizo con nosotros. Él no hizo ninguna distinción entre nosotros y ellos, pues les limpió el corazón por medio de la fe. Entonces, ¿por qué ahora desafían a Dios al poner cargas sobre los creyentes gentiles con un yugo que ni nosotros ni nuestros antepasados pudimos llevar? Nosotros creemos que todos somos salvos de la misma manera, por la gracia no merecida que proviene del Señor Jesús."[84]

Así que, se le permitió a los come-cerdo, peludos y tatuados gentiles que sólo guardaran las Leyes Morales (más de esto en breve), sin afanarlos con las costumbres Judías (entiéndase, las Leyes Civiles). Fíjate que Dios no cambió de parecer ni se contradijo. Como vimos, todos esos mandamientos que Él estableció tuvieron un propósito en el momento que los dio.

Y entonces: Jesús.

Ahora, en vez de nosotros esforzarnos por llegar a Dios por medio de la ley, Dios llegó a nosotros por medio de Su gracia. No solo eso, sino que vino a todos: a los Judíos, claro, pero también Dios visitó por primera vez a los gentiles para tomar de entre ellos un pueblo para sí mismo.[85] Como dijo Pablo:

"Después de todo, ¿acaso Dios es solo el Dios de los judíos? ¿No es también el Dios de los gentiles? Claro que sí. Hay solo un Dios y él declara justos a judíos y gentiles únicamente por medio de la fe."[86]

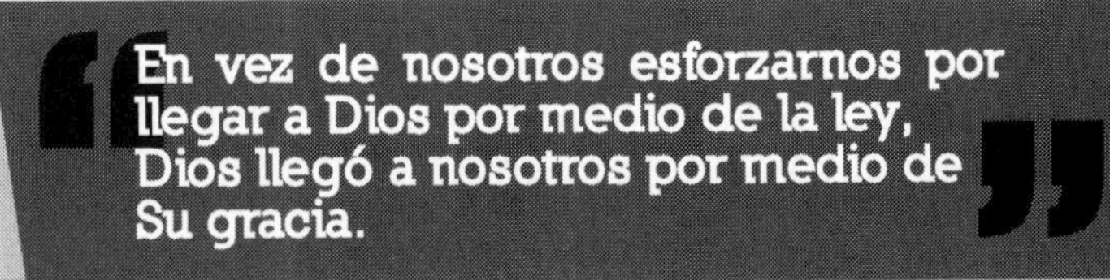

"Por medio de la fe" y no por medio de

cualquier otra cosa que podamos hacer nosotros para merecer la salvación,[87] porque ninguno de nosotros la merecemos. Así que, Dios, en su infinita sabiduría, dejó que los gentiles (incluyéndonos a ti y a mí) llegásemos a una mayor verdad sin tener que cambiar de dieta, ni de peinado, ni ninguna otra cosa de nuestro exterior.

Y quiero detenerme en este punto por un momento, antes de llegar a lo de las leyes morales, que es la última categoría de mandamientos.

Quiero detenerme porque, parte de la razón por la cual los no-creyentes nos odian es porque somos como las personas que querían judaizar a los gentiles: ¡nos pasamos poniendo restricciones para poder llegar a Cristo! El camino a Dios fue liberado por Jesús y nosotros insistimos en ponerle peajes. Por lo tanto, como antes, es tiempo de darnos cuenta de que Dios no hace acepción de personas,[88] porque el Señor no ve las cosas de la manera en que nosotros las vemos. Nosotros tendemos a dejarnos llevar por las apariencias, pero el Señor mira el corazón.[89] Y es tiempo de que nosotros también.

Nos jactamos de que pertenecemos a la mesa con Jesús, porque sabemos la jerga Cristiana, porque vestimos como Cristianos, porque escuchamos la música Cristiana... pero es ese orgullo lo que nos hace caer. Estamos sentados a la mesa de Jesús y tenemos el atrevimiento de decidir quién puede comer con nosotros. No es nuestra mesa, ¡ni siquiera es nuestra fiesta! Por lo tanto, no nos debemos sorprender si Jesús sienta a nuestro lado a alguien que no queremos allí, porque la realidad es que Dios quiere salvar a quién nosotros no estaríamos dispuestos a salvar.

La Ley Moral, ley Divina

Las Leyes Morales son los mandamientos de Dios en donde se encuentran los principios que no tienen fecha de expiración: los que le aplican a todos y en todo momento. Estos mandamientos que tienen que ver con la moralidad no han cambiado. Las leyes morales son a base del carácter de Dios y como el carácter de Dios no cambia, las Leyes Morales tampoco. Por lo tanto, a diferencia de las leyes sacerdotales o las leyes cívicas, las leyes Morales todavía están en vigor. ¿Cómo lo sabemos? Sencillo: en el Nuevo Testamento vemos un restablecimiento de las leyes morales, cosa que no vemos sobre las leyes sacerdotales o de las leyes cívicas. Es por esto que vemos en el Nuevo Testamento la condenación de pecados (como el asesinato y la fornicación), pero sin las penas de muerte asociadas con esos pecados (como el apedreamiento, por ejemplo).

Lo que esto quiere decir es que, antes, Dios le dio instrucciones y permiso al pueblo de Israel

> La realidad es que Dios quiere salvar a quién nosotros no estaríamos dispuestos a salvar.

de ejercer juicio sobre todo aquel culpable del incumplimiento de las leyes (de cualquiera de las antes mencionadas). Interesantemente, romper una ley cívica incurría en algún castigo que no llevaba a la muerte, pero romper las leyes morales sí. Ahora bien, cuando Jesús llegó, el juicio de Dios ya no dependería de que la gente pudiese cumplir las leyes, sino que dependería de Jesús mismo.[90] Por lo tanto, las consecuencias de romper las leyes ya no son ejecutadas por las personas del pueblo, según decía la cultura (que es como se hacía antes), sino que Dios mismo las otorgará.[91] Por eso, hoy día, no hay que sacar a quién peque a la calle para apedrearlo, ni llevarlos delante de la iglesia para apedrearlos emocionalmente, señalándoles y avergonzándoles. El pecado no deja de ser pecado, pero lo que la gente que peca necesita de nuestra parte es el abrazo de salvación, no una peñonazo en el alma.

¡Acompáñame al pecado!

Desde Adán y Eva hemos visto una realidad: lo que Dios dice que hagamos es lo correcto y desobedecerlo es lo incorrecto. Para mi es curiosísimo que, últimamente, hemos tratado las leyes morales como si fueran las cívicas o las sacerdotales: como si fueran para otro tiempo, bajo otras circunstancias y en otro contexto. ¿No has escuchado cuando dicen algo parecido a *"es cierto que Dios condena la inmoralidad sexual, ¡pero también condena el comer cerdo; así que pecas por comer cerdo!"*? La gente se pasa utilizando las leyes cívicas para ridiculizar las leyes morales, pero, como vimos, son categorías distintas. Al intentar justificar la desobediencia de una ley moral con la desobediencia a una ley cívica, se están confundiendo categorías y se trata de mezclar dos cosas que no se pueden comparar.

Y esta confusión está entrando en las iglesias.

Hemos comenzado a aceptar pecados para mantenernos *"culturalmente relevantes"*. Por ejemplo, he escuchado líderes de iglesias justificando la convivencia sin casarse de uno de sus hijos con su pareja porque "los tiempos cambian". Sin embargo, saber cómo aplicar principios Bíblicos a nuestra cultura moderna es una cosa, ¡pero es otra cosa distinta cambiar lo que Dios dice sobre el pecado!

¿Nosotros tenemos que mejorar cómo comunicamos el Evangelio? Sí. ¿Tenemos que mejorar cómo tratamos a personas que piensan distinto a nosotros? ¡De seguro! ¿Tenemos que mejorar cómo vivimos para que las personas vean y entiendan que vivir por Cristo es la mejor manera de sobrellevar el sufrimiento de este mundo? ¡Sin duda alguna! ¿Tenemos que redefinir lo que Dios llama *"pecado"* para caerle bien a los no-creyentes?

Detente. Hasta ahí.

Pienso que debemos tomar un tiempo para examinar algunos de los pecados que, a mi entender, están encontrando lugar dentro de nuestras iglesias. Tal vez, al identificar estos pecados, podemos darnos cuenta de que, como Gomer, estamos regresando al estado del cual Dios nos rescató, en vez de progresar a una vida de santidad.

Capítulo 4
¡Pecados! ¡Pecados para todos!

Una día, estaba hablando con un joven de mi iglesia, el cual estoy discipulando y en una de nuestras conversaciones le pregunté:

—Dime, ¿cuál es tu pecado favorito?
Se detuvo.
—¿Pecado favorito? —me repitió con una sonrisa de confusión.
—Sí: el pecado que más te gusta cometer.
—Pero, es que a mi no me gusta pecar.
—¡Claro que te gusta pecar!, me reí. Si no nos gustara pecar, ¡no existiera el pecado!

La realidad es que entiendo el joven. Siempre he pensado que una de las diferencias entre un Cristiano y un no-Cristiano es que un Cristiano no busca pecar, pero sucede; El no-Cristiano peca, y, en realidad, le da igual. No hay una diferencia marcada entre pecar y no pecar para el no-creyente.

Sin embargo, el pecado nos gusta. Si no, ¡no nos pudiese atraer y seducir![92] La Biblia nos dice que la idea es no pecar, pero es realista y también nos dice que hay una posibilidad de que pequemos (¡y tambíen nos dice de un Abogado excelente que nos ayuda en esas circunstancias![93]). De ahí es que sale mi conclusión: un Cristiano no quiere pecar, pero sucede.

Desafortunadamente, hay algo que pasa en nuestro corazón a medida que seguimos pecando: se endurece.[94] El problema de esto es que cada vez es más y más fácil pecar; cada vez es más y más fácil apagar la conciencia cuando pecamos. Llega el punto en que pecamos y dejamos de ir a la oficina del Abogado para que nos ayude...

Y luego tenemos el descaro de pedir que nos bendiga.

Bienvenidos al Cristianismo moderno.

Mini-Cristos

Por alguna razón, vamos a la iglesia prefiriendo ser inspirados a sentirnos bien, que retados a cambiar. Buscamos un Jesús amoroso que podamos admirar, en vez de un Cristo crucificado que debemos imitar. Obvio, es mucho más fácil quedarme como soy, a tener que cambiar a como es Él. ¡Él es santo! ¡Es perfecto! Es mucho más fácil compararme con los que no van a la iglesia y no creen en Dios, que con el Dios del universo. Nunca vamos a llegar a la estatura de Jesús, pero, sin duda somos mejores que los no-creyentes, ¿verdad?

> **Buscamos un Jesús amoroso que podamos admirar, en vez de un Cristo crucificado que debemos imitar.**

De aquí es que nace esa "actitud jactante" por el cual nos detestan (que lo hablamos en el primer capítulo).

El problema es que, si somos Cristianos, no nos toca compararnos con nadie excepto con Jesús. Si en vez de compararnos con otras personas, nos comparásemos con Jesús, no habría orgullo ni jactancia entre los Cristianos. Cero. ¡Y eso es lo que tenemos que hacer! Piensa en quién era Jesús. Piensa en todo lo que dijo. Piensa en la vida que vivió y en la influencia que tuvo; ¡todavía estamos viviendo los frutos de esa vida maravillosa!

Ahora, piensa en esto que Jesús dijo:

"De cierto, de cierto os digo: El que en mí cree, las obras que yo hago, él las hará también; y aun mayores hará, porque yo voy al Padre."[95]

Jesús dice que, no solo vamos a hacer obras como las que hizo, ¡sino que haremos cosas mayores que las que Él hizo! ¡Imagina eso! Jesús solito, con lo que logró, hizo eco en la historia. Imagina que los 2 mil millones de Cristianos alrededor del mundo hicieran cosas mayores que las que Jesús hizo; imagina que viven una vida más influyente que la de Jesús. Wow. Sin embargo, para poder lograrlo, todos tenemos que entender e internalizar la realidad que se concluye de todo esto que acabo de escribir:

Ser como Jesús no es nuestra meta, es nuestro punto de partida.

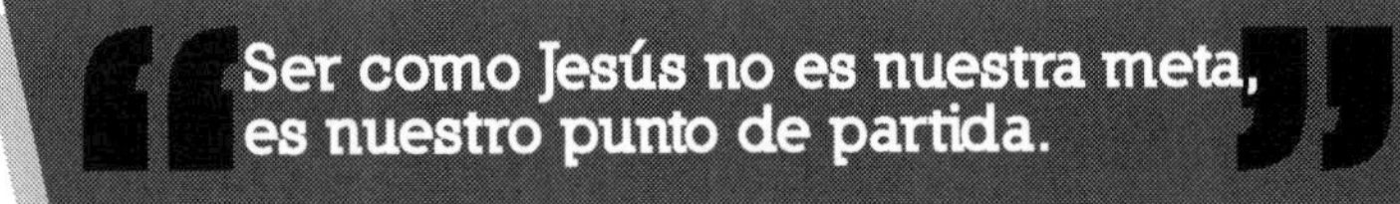

Comprando en la tienda de pecados

Si hay algo que nos limita en nuestro sincero andar con Jesús, es algo llamado "pecado". Nos seduce, nos distrae, y nos entorpece hasta hacernos caer. Por alguna razón pensamos que esta es una buena forma de seguir a Jesús: cayéndonos, pidiendo perdón, levantándonos, dar dos pasos, caer otra vez, pedir perdón... como si le dieran puntos adicionales al que tenga las rodillas más peladas. Algo interesante del pecado es que las consecuencias no son necesariamente inmediatas.

Si el efecto del pecado fuera inmediato, sería fácil de evitar: estaríamos condicionados a no pecar. Sin embargo, si podemos entender el pecado, a lo mejor podemos dar con el por qué no debemos pecar y eso nos ayudará a saber por dónde caminar sin caer en ello.

La Biblia nos da unas "listas" de pecados en diferentes lugares del Nuevo Testamento.[96] Cada uno de los pecados mencionados tiene su detalle, pero todos terminan siendo el resultado de romper los dos mandamientos más importantes: Amar a Dios con todo lo que somos y amar a nuestro prójimo como a nosotros mismos.[97]

Con el fin de no ser muy abrumador, solo quiero enfatizar tres pecados que, entiendo yo, son los más comunes dentro de la iglesia. Es importante estar concientes que no son los únicos pecados, pero son de los más abarcadores; es decir, hay muchos pecados de las "listas de pecados" que salen a raíz de estos.

Empecemos.

Inmoralidad Sexual

Esto abarca bastante y es mencionado en cada lista de pecados que encuentro, por lo cual es un tema al que le quiero dedicar unas páginas adicionales (sin duda, más páginas que a cualquiera de los otros dos). A mi entender, es el pecado que más atrae y seduce a personas Cristianas. Está en todas partes: ¡Todo está sobre-sexualizado! Este constante bombardeo y sobre-saturación provoca que veamos este pecado como algo normal y por eso quiero decir algunas cosas sobre el asunto.

Aquí, lo importante es entender la raíz (entiéndase: la idea general) detrás de este pecado, el cual se puede resumir así: inmoralidad sexual es todo acto sexual fuera de lo que la Biblia define como matrimonio.[98]

Así que, definamos matrimonio.

Bueno, técnicamente el matrimonio no se define como tal, sino que se describe. Se describe porque existía antes de que existieran las civilizaciones, no porque haya sido algo que el humano inventó. Es como cuando un explorador va a crear un mapa de una tierra desconocida: el delinea y describe, ¡no se inventa lo que dicte su imaginación!

Por lo tanto, el matrimonio se describe como una unión natural y a largo plazo, entre un hombre y una mujer, que es protegida, privilegiada y celebrada por la cultura (dado el importantísimo rol que juega en la civilización). Es fundamentado en la naturaleza que Dios creó y fue establecido por Dios mismo con Adán y Eva.

Por lo tanto, la inmoralidad sexual incluye cosas como: la fornicación, cometer adulterio, prostituirse o practicar la homosexualidad.[99] Sin embargo, la fornicación es el pecado base (o la raíz) de la inmoralidad sexual (de hecho, a veces se usa "fornicación" en vez de "inmoralidad sexual" en algunas versiones bíblicas). ¿Cómo lo sabemos? Porque los demás pecados pueden ser explicados a base de la fornicación:

- **Cometer Adulterio:** querer fornicar[100] o literalmente fornicar con alguien que no es tu cónyuge; incluye algunos casos de divorcio.[101]

- **Prostituirse:** el acto de fornicar con el propósito y fin de obtener dinero, favores, beneficios o el placer mismo.

- **Practicar homosexualidad:** entrar en el acto de fornicación, pero con alguien de su mismo sexo.

Antes de seguir, quiero comentar algo sobre este último: Nota que el versículo bíblico no dice nada sobre *ser* homosexual, sino *practicar* la homosexualidad. Cuando entendemos esto correctamente, podemos abrir los ojos a la realidad de que todos somos tentados hacia algún pecado, pero si no lo llevamos a la práctica, no hay problema. El caso no es distinto con la homosexualidad. Por lo cual, independientemente si uno nace homosexual o no[102] (que es otra discusión aparte), los seres humanos somos capaces de tomar nuestras propias decisiones más allá de nuestros impulsos. El Dr. James Dobson (sicólogo) lo dice así: "A diferencia de los [animales], los seres humanos somos capaces de pensamiento crítico y acciones independientes. No actuamos según nuestros impulsos sexuales, a pesar de nuestra composición genética. Lo que está claro es que lo [genético] nos puede inclinar en cierta dirección, pero es una inclinación que podemos controlar con nuestros procesos racionales."[103] Así como alguien que es tentado a robar un banco, puede tener la capacidad y madurez de pasar frente a un banco y no robarlo, una persona que se sienta atraída a otras personas de su mismo sexo no tiene porqué pecar. Recuerda, la práctica de la homosexualidad es una de las distintas manifestaciones del mismo pecado: inmoralidad sexual. La persona que practica la homosexualidad no va a recibir más infierno que la persona que comete adulterio, o fornica; porque todos son culpables de su propia vertiente del *mismo* pecado.

Sigamos.

Por lo general, pensamos que "fornicación" es solamente el acto de tener relaciones sexuales fuera del pacto matrimonial, pero el problema es más profundo. El acto de fornicación es pecado porque es muy distinto a lo establecido por el matrimonio. ¿Cómo así? La fornicación crea una realidad distorsionada a lo que Cristo presentó en la unión de una sola carne en el pacto del matrimonio bíblico. La fornicación provoca una representación errónea de un Cristo que utiliza la iglesia sin unirse a ella, sin hacer pacto y sin comprometerse eternamente. El creyente que lleve a otra persona a una unión sexual (sin una unión de pacto matrimonial) le está predicando al mundo, a su pareja y a sí mismo un Evangelio distinto al que predicó Jesús: el acto sexual deja de ser una entrega amorosa y se convierte en un deseo egoísta. Cuando se da la unión sexual sin un compromiso hecho delante de Dios, el pecado que se comete como pareja puede tener consecuencias aún hasta después de casarse. Como el apóstol Pablo advierte: en el acto sexual se forma una unión espiritual, pero con un espíritu distinto al de Jesucristo,[104] a diferencia de cuando hay un pacto de matrimonio en el cual ambos son una sola carne,[105] y ese espíritu unido de ambos es el que se une al de Cristo.

El acto de fornicación es pecado porque es muy distinto a lo establecido por el matrimonio.

Una vez conocí a un muchacho que estaba de acuerdo con que las personas convivieran antes de casarse. "Imagina", decía él, "que yo voy a ser tu chef personal y tu vas a ser el mío. Es un acuerdo de exclusividad. Ni tú, ni yo podemos comer con ningún otro chef, ni comer comida que no haya hecho el otro. Ahora, ambos vamos a estar cocinando sin saber los gustos del otro, ni su comida favorita, ¡y tienes que comer lo que yo haga, porque ese fue el acuerdo que llegamos! Es una locura, ¿no? Por eso es que las personas deben convivir antes de casarse: para asegurarse que le gusta lo que la otra le cocina."

Parece lógico, ¿verdad?

Lo primero que me interesa de esta ilustración es que esta persona piensa que lo más importante de una relación es el sexo (o la "comida", como lo ilustra). El ejemplo falla en entender varias cosas: (1) aunque comer es importante, nadie está todo el día comiendo, porque la vida es más que solo comer; (2) con quién se come es tan (o más) importante que la comida; (3) si te cocinan tu plato favorito todos los días para todas las comidas, pronto va a dejar de ser tu plato favorito.

Ahora bien, no estoy negando que el sexo es una parte importante (¡y buenísima!) de una relación, pero si la convertimos en la parte *más* importante, como suele suceder, ¡entonces esa relación está destinada al fracaso! Si nuestra satisfacción de una relación viene del sexo, el día que nos ofrezcan mejor sexo en cualquier otro lugar (¡y, a veces, hasta sexo diferente!), se acabó la relación. ¡Qué bonita sería una relación en la cual nos amen por quiénes somos y no por el plato que sirvamos!

Vale la pena mencionar que nuestros deseos sexuales, como todos los demás impulsos instintivos que tenemos, no son ni buenos ni malos en sí mismos; son parte de cómo Dios nos creó. Pero, pueden volverse reprochables si se utilizan fuera de turno. Piensa en un piano: ninguna de las notas son, por sí solas, buenas o malas, pero la melodía de la canción se afecta cuando alguna nota se toca fuera de lugar.[106] Dios, el Gran Pianista, nos dio deseo sexuales para ser expresados, pero dentro de un ámbito de confianza, seguridad y compromiso, ¡que es la "canción" del matrimonio! La idea del matrimonio es crear un espacio donde, si no me gusta lo que "cocinaste" (por seguir la ilustración del muchacho), podemos hablar y cambiar la receta para que ambos comamos, cada día echando algún nuevo ingrediente, cada año descubriendo nuevas y mejores maneras de cocinar y así haciendo esos lazos más y más fuertes (y la canción más y más hermosa).

Sin embargo, de este pecado de inmoralidad sexual, pecamos mucho.

De hecho, viene una pregunta a mi mente: ¿son los deseos sexuales más fuertes que las convicciones sobre Jesús y sus enseñanzas? Creo que el problema es que pensamos que esta instrucción de "No Forniques" es caprichosa por parte de Dios. Pensamos que su mandato de "No Forniques" no es para protegernos y cuidarnos, ¡sino porque Dios es malo y no quiere que nos divirtamos! Cuando pensamos así, no vamos a tener razón para obedecerlo. Sin embargo, Dios diseñó el sexo, por lo cual es lógico pensar que Él sabe cómo debe funcionar. Pero, ¿de qué Dios nos está protegiendo?

¡De dañar nuestros cuerpos!

¡Huyan del pecado sexual! Ningún otro pecado afecta tanto el cuerpo como este, porque la inmoralidad sexual es un pecado contra el propio cuerpo. ¿No se dan cuenta de que su cuerpo es el templo del Espíritu Santo, quien vive en ustedes y les fue dado por Dios? Ustedes no se pertenecen a sí mismos, porque Dios los compró a un alto precio. Por lo tanto, honren a Dios con su cuerpo.[107]

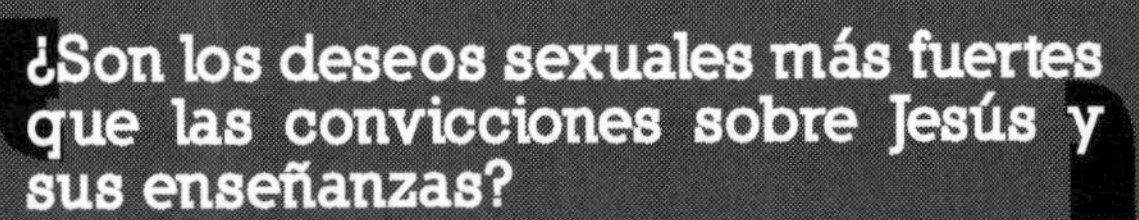

Empecemos por la realidad de que no puedes hacer todo lo que quieras hacer con tu cuerpo, como por ejemplo, usarlo para asesinar a otra persona. Al entregarle nuestras vidas a Dios, ya "no nos pertenecemos a nosotros mismos", como escribió Pablo, y nos toca honrar a Dios con nuestros cuerpos.

Es necesario enfatizar que no se trata solamente de tener prácticas sexuales buenas y saludables para evitar cosas como embarazos no-deseados, enfermedades de transmisión sexual u otras cosas negativas en nuestros cuerpos. Eso es importante (de hecho, es parte de lo que Dios nos está protegiendo), pero Dios quiere proteger nuestros corazones también. Muchos artículos que abogan a favor de tener sexo antes de casarse dicen que tiene muchos beneficios[108]: eliminar estrés, ayudar con el sistema inmunológico, dormir mejor y ayuda a tener una vida más larga, entre otras cosas más (¡que son ciertas!). Lo que no nos dicen es que esos son los beneficios de sencillamente tener sexo, ¡por lo que esos beneficios son obtenidos teniendo sexo después de casarse! Lo que no encontrarás en esos artículos son los estudios que demuestran lo mucho mejor que es esperar a casarse: mayores niveles de satisfacción con la relación, compromiso, intimidad, apoyo emocional y satisfacción sexual con sus parejas.[109] No sólo eso, sino que las parejas que esperan a tener sexo, tienen matrimonios más felices, porque pueden enfocarse en desarrollar otras partes importantes de la relación *antes* de casarse.[110] La sicología está descubriendo lo que Dios ya sabía,

¡y nos lo deja saber a través de mandamientos que son para nuestro beneficio!

Una pregunta que me vino a la mente: "¿Y qué pasa si la pareja se va a casar comoquiera?" Tres cosas: (1) ¡las mismas cosas aplican!, (2) ya hablamos de que se trata de compararnos con los estándares de Cristo, no con los de nadie, y (3) estudios confirman que cohabitar antes de casarse aumenta las probabilidades de divorcio.[111] ¿No te da paz pensar "si esperó por mí, no se va a desesperar por nadie más"? Cuando lo vemos de esta manera, nos damos cuenta de que no es caprichoso de parte de Dios limitar la actividad sexual dentro del marco de lo que la Biblia define como matrimonio: ¡es para que podamos disfrutarlo completamente! El peso de esos profundos lazos emocionales que se crean a través de la intimidad física sólo pueden sostenerse dentro del compromiso y estabilidad que provee un matrimonio con Dios en su centro. De lo contrario, una relación profundamente emocional sin la estabilidad del compromiso es una bomba de tiempo que daña la percepción que Dios le dio al significado del sexo.

También vale la pena mencionar que la soltería es de Dios y es una recomendación bíblica.[112] Esto parece ir en contra de todo lo que la sociedad dicta, porque tener pareja y/o casarse se estima como un logro importante. Y lo es,[113] pero la soltería es una gran bendición y Jesús mismo dice que la soltería es algo bueno para aquellos que la tienen.[114] Pablo comenta: “Quisiera que estén libres de las preocupaciones de esta vida. Un soltero puede invertir su tiempo en hacer la obra del Señor y en pensar cómo agradarlo a él; pero el casado tiene que pensar en sus responsabilidades terrenales y en cómo agradar a su esposa; sus intereses están divididos.”[115] Muchas veces, el afán de buscar una pareja nos distrae y ayuda a que no “invirtamos nuestro tiempo en la obra del Señor y en pensar en cómo agradarlo a Él”. Aparte de los consejos erróneos que pueda recibir una persona soltera de que debe casarse, los problemas más prominente en que pueden caer las personas solteras es de practicar en un estilo de vida egoísta y, claro, fornicación. El error está en pensar que la soledad te la puede quitar otro ser humano, cuando la definición de amor y fidelidad viene de Dios. El matrimonio entre personas es un acto puramente terrenal y no es algo que va a suceder en el Cielo,[116] por lo que no es pecado mantenerse soltero; ¡es una bendición!

Idolatría

Aunque Dios mismo hablaba de no rendirle culto a ídolos o imágenes,[117] la Biblia también nos habla de que la raíz de la idolatría es la avaricia.[118] La persona avara es idólatra porque adora las cosas de este mundo.[119] Por lo tanto, la idolatría se puede definir como: anhelar algo o alguien, que no sea Dios, de una forma tal que se le dedica la mayor parte de nuestro tiempo, pensamientos y esfuerzos.

Esto es importante porque la idolatría no es algo que está necesariamente fuera de nosotros, sino que está dentro de nuestro corazón: un *anhelo* por algo que no es Dios. Cuando nos llega ese anhelo, entonces se manifiesta en lo exterior: le dedicamos tiempo, esfuerzo y nos inunda los pensamientos. ¡Todo nos recuerda a eso! Cuando alguien toca ese tema, ¡se nos hace imposible quedarnos callados! Los chistes que hacemos, los memes que compartimos, ¡todo tiene que ver!

Nosotros somos seres que adoramos. No existe un punto neutral: nuestro corazón siempre busca rendir culto y si no es a Dios, va a ser a *algo.* Si no rendimos culto al Creador, vamos a rendir culto a algo creado.[120] Si no amamos a Dios sobre todas las cosas, vamos a amar las cosas más que a Dios.

> **Si no amamos a Dios sobre todas las cosas, vamos a amar las cosas más que a Dios.**

Y por *"cosas"* no me refiero a cosas materiales solamente. De hecho, ¿sabes qué es lo más que se promueve últimamente? Piensa a ver si estas frases son familiares:

"Encuentra lo que te haga feliz y hazlo."
"La solución está en tu interior."
"Solo tienes una vida: ¡vívela al máximo!"

Por lo general, *nosotros* somos los ídolos más grandes de nuestras vidas. ¡Todo los consejos se centran en nosotros mismos! Por eso es que Jesús nos dice que tenemos que abandonar nuestra manera egoísta de vivir para poder seguirlo.[121] ¿Cómo vamos a darle a Cristo nuestro tiempo y esfuerzo, si la gran mayoría de éstos esfuerzos están enfocados en nosotros mismos? Estamos invitados a ser egoístas desde que nos levantamos hasta que nos volvemos a dormir: desde escoger amigos que nos ayuden a ser "mejores versiones de nosotros mismos" , hasta estar con parejas "que nos traten como merecemos ser tratados."

Pero, ¿qué tiene de malo eso? ¿No es importante amarnos a nosotros mismos también?

Aclaremos algo: no estoy diciendo que no es importante saber escoger amigos que nos puedan ayudar, ni parejas que nos traten bien, o que no debemos cuidar de nosotros mismos. Lo que estoy diciendo es que es muy distinto pensar en la vida a base de mí y pensar en la vida a base de Dios. Cuando vivo mi vida a base de mí, se vuelve difícil pensar más allá de mí. En otras palabras, no es lo mismo tener una relación amorosa de mutuo entendimiento, o una amistad honesta, que pensar en los demás como herramientas que utilizo cuando quiero beneficiarme de alguna manera. Por ejemplo, imagina que le haces un gran favor a un amigo. Un gran favor. Luego, al pasar un tiempo, resulta que tú necesitas un favor de igual magnitud y vuelves donde tu amigo a pedirle que te ayude.

Piensa bien: ¿qué harías si te dice que no quiere ayudarte? ¿Le sacas el favor que tú le hiciste en cara? ¿Dejaría de ser tu amigo? Entonces, el favor que hiciste inicialmente no fue por amor, ni por amistad, ¿cierto? Tal vez, de primera instancia sí, ¡pero luego lo convertimos en un acto egoísta!

El egoísmo provoca todos los problemas en nuestra sociedad: desde gobiernos corruptos (haciendo que los gobernantes se preocupen más por sus propios beneficios, en vez del bienestar de su pueblo), hasta los embotellamientos en el tráfico (donde queremos llegar antes que los demás). El egoísmo es fruto del orgullo, ¡y el orgullo es lo más anti-Cristiano que existe! El orgullo le escupe en la cara a la humildad que Jesús vivió y predicó.

No podemos adorar a Dios y a nosotros a la vez. Jesús dijo que no se puede servir a dos Señores, porque se ama a uno y se desprecia el otro.[122] Jesús habló estas palabras en un contexto de riquezas, pero, ¿no son las riquezas a las cuales Jesús se refiere otra vertiente de idolatría?[123]

Pero no termina ahí.

Hay otras cosas que pueden ser ídolos en nuestro diario vivir. Una pareja, por ejemplo, puede ser un ídolo en tu vida. O un trabajo. O el dinero. O el caerle bien a todo el mundo. O, tal vez, estimulación sexual, como estábamos hablando. ¿Qué tal las redes sociales? ¡Creo que todos hemos pecado ahí! Si ocupa más tiempo y esfuerzo que el tiempo y esfuerzo que le dedicamos a Dios, le estás rindiendo culto a otra cosa que no es Él.

Hay una forma sencilla de saber qué es un ídolo en tu vida: piensa en algo o alguien importante para ti. Algo que te guste hacer; alguien a quien amas. Una cosa o persona que pienses que es importante y le das gracias a Dios de que es parte de tu vida. Ahora piensa: ¿qué harías si, de repente, no está eso que pensaste?

¿Te sentirías que perdiste el propósito de tu vida? ¿Dejarías de creer en un Dios que pueda permitir que eso pase? Cuando el enfoque de nuestras vidas no es Dios, pero decimos que somos Cristianos, en realidad lo que estamos haciendo es convirtiendo a Dios en un amuleto de la suerte que llevamos, con el fin de que Dios nos bendiga. Nuestras oraciones se centran en que Dios provea para poder alcanzar nuestros planes y nuestros deseos. ¿Has sabido de alguien que le pide a Dios algo, y ora, y clama, y luego esa persona se queja de que confió en Dios y Dios no le respondió? Desafortunadamente, esa persona no puso su confianza en Dios, puso su confianza en sus propios planes, ¡y esperaba que su amuleto de Dios funcionara!

Entonces, vale la pena preguntar: ¿estoy adorando a Dios por lo que me da (o pueda dar), o lo adoro por quién Él es? ¿Estoy enfocandome en las bendiciones de Dios, o en el Dios de las bendiciones? De ahí es que nace el problema. Imagina un papá que siempre le da dulces o juguetes a su hijo cada vez que se ven; ¿qué va a pasar el día que el papá solo le dé un abrazo a su hijo? Si sólo amo a Dios por lo que me da o por lo que puede hacer por mí, no soy más que un niño engreído que se echa una rabieta cuando no recibe lo que quiere; porque sólo pienso en mí. Lo peor del asunto: hago esto y pienso que estoy siendo un buen hijo, ¡y pido a Dios que me dé bendiciones!

Ahora bien, ¿por qué es importante no cometer este pecado?

En el pecado de idolatría se encuentran cosas como la avaricia (que mencionamos), al igual que orgullo, soberbia, egoísmo, arrogancia, rebeldía, desprecio, jactancia y cualquier otra cosa que nos ponga en primer lugar por encima de Dios y de nuestro prójimo. Este es el pecado que se comete cuando no cumplimos con el mandamiento de amar a Dios con todo lo que somos.[124]

Dios puso este mandamiento para nuestro bien. Piénsalo. Imagina que, en vez de agradar a Dios, buscamos agradarnos a nosotros mismos; "buscar nuestra propia felicidad", por ejemplo. Pero, ¿qué problema tiene buscar la felicidad? La felicidad es un estado de ánimo (emoción) que depende de las circunstancias: de tener lo que se desea o disfrutar de una cosa buena.[125] Sin embargo, cuando las circunstancias no son favorables, ya me veo en la obligación de hacer una nueva ofrenda de esfuerzo y tiempo a mi dios del "yo" para volver a conseguir la felicidad. Se vuelve una adicción: cambio de pareja cuando no me hace feliz, o de trabajo, o de amigos, o de lo que sea.

La realidad es que fuimos creados por y para Dios,[126] ¡y no para nosotros mismos, ni ninguna otra cosa, o persona!

San Agustín señaló a esta realidad cuando escribió: "Dios nos creó para Él mismo y nuestros corazones no tendrán paz hasta que descansen en Él."[127] Y no es para menos. Dios sabía que seríamos esclavos a una insatisfacción constante, si tratamos de satisfacernos con algo que no sea Él. Este mandamiento nace para guardarnos de una vida sin un propósito real; para que nuestros corazones encuentren su verdadero hogar. Cuando hacemos de Dios nuestro enfoque, llega algo en nuestras vidas que es esencial para estar en paz: el contentamiento.

> Fuimos creados por y para Dios, ¡y no para nosotros mismos, ni ninguna otra cosa, o persona!

Ahora bien, no es que vamos a ignorar nuestros empleos, nuestras parejas, nuestros hijos, u otras cosas importantes; tenemos que ser buenos mayordomos de lo que tenemos.[128] Recuerda, estamos en el mundo, pero no somos del mundo.[129] Cuando dejamos de amar al mundo y las cosas que hay en él, como nos dice la Biblia,[130] no sólo el amor de Dios habita en nosotros, sino que pone todo lo demás en nuestras vidas en perspectiva. Y esto es importante, porque quién no encuentra su contentamiento en Dios, ¡nunca va a estar satisfecho! Siempre habrá un puesto más alto, un mejor auto, o una pareja más guapa y nunca estaremos satisfechos con lo que tenemos, si nuestro enfoque no es Dios.

Ahora piensa: ¿qué pasaría si Dios es nuestro centro? ¿Qué pasaría si todo lo que hacemos o decimos (o escogemos, o estudiamos, o compramos), lo hacemos como representantes del Señor Jesús y damos gracias a Dios Padre[131] por ello? ¿Qué pasaría si vamos a nuestros empleos y hacemos nuestros trabajos como si Jesús fuese nuestro jefe? ¿Qué pasaría si, en vez de enamorarnos de una persona con un cuerpo hermoso, buscáramos una persona con un corazón que tenga a Dios en su centro? ¿Qué pasaría si, en vez de que nuestras vidas se centren en nuestros hijos, le enseñamos a nuestros hijos que Dios sea el centro de las suyas (así como Él es el centro de las nuestras)?

Encontremos estos ídolos en nuestras vidas y no nos inclinemos hacia ellos. ¡Dios es mucho mejor que cualquier otra cosa o persona que nosotros estimemos como importante![132]

Asesinato

Este es bastante sencillo. Asesinar a alguien significa intencionalmente terminar con la vida de una persona. Es sumamente probable que ninguno de nosotros haya asesinado a otra persona. Siempre me disfruto los programas de televisión y las películas que tiene que ver con detectives tratando de descifrar quién mató a algún personaje. ¡Nada mejor que cuando traen al criminal a justicia! Solo pensar en que hay personas que deciden quitarle la vida a otra, nos debe dar escalofríos. ¿Cómo un corazón puede ser tan malvado como para privarle la vida a otro y, muchas veces, por razones egoístas? Definitivamente gente así no merecen tener vida eterna.

El problema es que, para Dios, no tienes que matar a una persona para cometer asesinato:

"Todo el que odia a un hermano, en el fondo de su corazón es un asesino y ustedes saben que ningún asesino tiene la vida eterna en él."[133]

Ahora cambia la oración que escribí arriba: es sumamente probable que todos nosotros hayamos asesinado a otra persona. Tal vez no físicamente, pero con nuestro corazón o nuestros pensamientos hemos "terminado intencionalmente con la vida" de alguien porque no queremos que sea parte de la nuestra, como si hubiera muerto para nosotros. De aquí nacen otras cosas que están en las listas de pecados mencionados, como: odio, envidia, homicidios, peleas, engaños, conductas maliciosas, chismes, traiciones, insolencia, arrogancia, fanfarronería,[134] hostilidad, celos, arrebatos de furia, ambición egoísta, discordias, divisiones, no cumplir lo que se promete, crueldad y carencia de compasión.[135] Fíjate que todos estos pecados se cometen cuando quebramos el mandamiento de "amar a tu prójimo"[136] porque son cosas que terminan con la vida de otra persona en nuestras mentes y corazones. Te recuerdo: ninguno que practica estas cosas merece la vida eterna.

Obvio, hay personas muy especiales que hacen que asesinarlos en nuestras mentes sea fácil. Sin duda, no es difícil pensar en esa gente que, si estuviera encendida en fuego y tuviésemos un vaso de agua, nos lo tomábamos. Sin embargo, no se trata de cómo nos sintamos, sino de utilizar la libertad que Cristo nos consiguió en la cruz para hacer lo correcto. Y hacer lo correcto incluye pensar correctamente hacia las demás personas. Este tema de amar a nuestro prójimo es tan importante, que le pienso dedicar el próximo capítulo.

> "No se trata de cómo nos sintamos, sino de utilizar la libertad que Cristo nos consiguió en la cruz para hacer lo correcto."

Capítulo 5
¡Bienvenidos al club de asesinos!

Siento que ya está bastante claro el problema que tenemos los Cristianos en el momento de enseñar a Cristo al mundo: no ven a Cristo porque no lo estamos enseñando. En una ocasión, vi por internet una foto que me resultó sumamente impactante. Una persona tenía un cartón que decía: “Soy mejor Cristiano que muchos seguidores de Cristo… y soy ateo.”

Si tomamos nuestras decisiones sin pensar en Dios, hacemos nuestros planes aunque Dios no esté en ellos, y en realidad no pensamos en Dios a menos que necesitemos algo de Él, ¿en qué somos Cristianos? Para todos los efectos prácticos, somos ateos disfrazados de Cristianos. ¡Cristianos que se jactan de una vida que no viven! Nuestros labios le dan honra, pero nuestros corazones están lejos de Él.[137]

¡Y esto necesita cambiar!

Pero, ¿cómo?

Sencillo: amor.

Entonces, ¿amor es...?

En un sentido general y práctico definimos el amor como *"buscar el bienestar máximo de la otra persona"*.

Es lo que Dios ha hecho con nosotros y es lo que hacemos con las personas que amamos: echar a un lado lo que queremos nosotros y buscar el bienestar máximo del otro; porque ese bienestar es lo que verdaderamente queremos, ya que amamos a quien recibe ese bien. Sin embargo, esta definición es para fines prácticos y sólo toca la superficie de todo lo que realmente implica amar. ¿Por qué? Porque la Biblia da una definición bastante clara (y profunda) de lo que es amor:

Dios es amor.[138]

Las implicaciones de esto son astronómicas: los atributos del amor le aplican a Dios y vice versa. Podemos ver un ejemplo sencillo en primera de Corintios, capítulo 13, donde encontramos una excelente descripción (a diferencia de "definición") de lo que es amor:

"El amor es sufrido, es benigno; el amor no tiene envidia, el amor no es jactancioso, no se envanece; no hace nada indebido,

no busca lo suyo, no se irrita, no guarda rencor; no se goza de la injusticia, mas se goza de la verdad. Todo lo sufre, todo lo cree, todo lo espera, todo lo soporta. El amor nunca deja de ser […]"[139]

Si le cambiamos las palabras *"el amor"* por *"Dios,"* también tenemos una descripción certera de quién es Dios:

"[Dios] es sufrido, es benigno; [Dios] no tiene envidia, [Dios] no es jactancioso, no se envanece; no hace nada indebido, no busca lo suyo, no se irrita, no guarda rencor; no se goza de la injusticia, mas se goza de la verdad. Todo lo sufre, todo lo cree, todo lo espera, todo lo soporta. [Dios] nunca deja de ser […]"

Si amamos, entonces buscamos estos beneficios máximos que nos dice Pablo en primera de Corintios 13: desde estar dispuestos a sufrir y dar nuestra vida por otro,[140] hasta entender que eso de que *"el amor se acabó"* no es real (porque, así como Dios es eterno, ¡el amor también es eterno!). ¿Estamos amando a otra persona si guardamos rencor, o si solo buscamos lo nuestro? No, y esto es precisamente lo que nos dice la Biblia al respecto.

Hay otra característica que no es tan obvia: el amor no depende de nuestros sentimientos y emociones. Por definición, un sentimiento o una emoción depende de las circunstancias que nos rodean (más de esto en el capítulo 7). Si le aplicamos esto a Dios, vemos que el hecho de que Él exista o que nos acompañe diariamente no depende de nuestras circunstancias, ni de cómo nos sentimos. Ahora bien, como los atributos de Dios son iguales a los del amor, ¡el amor tampoco depende de cómo nos sintamos! Entonces, ¿cómo es que se ama? Si no es algo que sale espontáneamente (como los sentimientos), podemos llegar a una implicación sencilla, pero profunda: el amar es una decisión.

¡Esto significa que podemos decidir amar (buscar el beneficio máximo) de alguien que piensa o actúa distinto a nosotros!

El amor no depende de cómo nos sentimos, porque es algo que se decide a pesar de nuestras emociones cambiantes. Si una persona llega a su casa malhumorado de un horrible día de trabajo, eso no significa que no ama a su pareja. Su amor por esa otra persona no depende de cómo se sienta. Ahora, el hecho de que ama a esa persona significa que busca su beneficio máximo, a pesar de cómo se sienta. No estamos buscando el beneficio máximo de otra persona si solo hacemos cosas que nos agradan a nosotros, o si hacemos cosas beneficiosas a otra persona solo cuando a nuestros sentimientos les plazca. La idea es que buscamos el beneficio máximo de los demás, ¡porque ya hubo Alguien que buscó el beneficio máximo nuestro al darnos vida eterna!

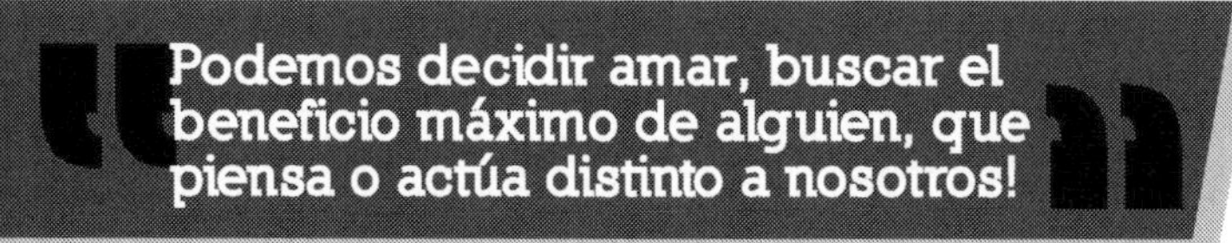

Por lo tanto, la respuesta sencilla para cambiar nuestros corazones, de modo que seamos Cristianos verdaderos y no ateos fingiendo ser Cristianos es el amor. Dejemos que el amor de Dios llene nuestros corazones, para poder dar amor a los demás.

Suena estereotipado, lo sé. ¡El problema es que no deja de ser cierto! Y ese asunto de amar empieza en nuestras iglesias. Las divisiones existentes entre los creyentes no demuestran amor, porque un efecto que tiene el amor es que une en perfecta armonía.[141] La palabra armonía es importante, porque no es nada más que el equilibrio, proporción y correspondencia adecuada entre los diferentes elementos de un conjunto.[142] Esto significa que, al participar de esta orquesta sinfónica que es el Cristianismo, ¡no tenemos que estar tocando el mismo instrumento, con las mismas notas musicales, para hacer un concierto espectacular! Es más: ¡no deberíamos! En vez de que la sección de percusión esté pendiente a ver si la sección de vientos se equivoca en algo, debemos todos mirar al Director y seguir su batuta.

Dividirnos y... ¿Conquistar?

¿Nunca te has preguntado por qué el Cristianismo está tan fragmentado? Yo sí. Es una pregunta súper importante, porque Jesús dijo que el mundo iba a creer que Él era el unigénito Hijo de Dios cuando nosotros fuésemos uno.[143] ¡Vaya declaración! Empezamos a enseñar a Cristo cuando somos uno, al igual que Él y el Padre son uno: en dirección, en ejecución, y, por supuesto, en amor.

Hablemos un poco sobre estas divisiones del Cristianismo.

Como probablemente ya saben, hay dos grandes divisiones en el Cristianismo: el Catolicismo y el Protestantismo. Como si fuera poco, en el Protestantismo hay aún más divisiones, como: Bautistas, Evangélicos, Metodistas, Pentecostales, etcétera, etcétera, etcétera. A estas divisiones en el Protestantismo se le llaman "denominaciones". Sobre las denominaciones voy a regresar en breve. Quiero hablar algo sobre el Catolicismo y el Protestantismo.

Una pregunta que tal vez podamos tener es: ¿Cuál de las dos fue la que Cristo fundó?

¡Ninguna!

Jesús no buscaba fundar una religión, sino

establecer una Iglesia. Una iglesia es un conjunto de personas que profesan una misma doctrina; en nuestro caso, la creencia en quién es Jesús y lo que hizo por nosotros.

Lo que Jesús hizo fue crear una base de discípulos/aprendices que se dejaran guiar por Su Palabra y enseñanzas. Los primeros Cristianos, eran eso mismo: Cristianos. No eran Católicos, ni Evangélicos, ni Bautistas, ni Pentecostales, ni Episcopales, ni ninguna de cualquiera de las que estés pensando. Lo único que había eran Cristianos y punto. Así que, en ese sentido, todas las denominaciones que se dejen guiar por la Palabra de Jesús, sus enseñanzas y Su sacrificio son Cristianas.

Sí. Cristianas.

Cabe mencionar antes de que se constituyera el nombre de "Cristianos" para describir a los seguidores de Cristo, éramos sólo "creyentes". Ahora bien, el nombre "católico" lo que significa es "universal", por lo cual es más un adjetivo que un nombre. ¿Recuerdas cuando mencionamos que el Evangelio de Cristo es para Judíos y Gentiles conjuntamente? Esto significa que el Evangelio es para todo el mundo. Al ser para todo el mundo, se convierte en universal. ¿Sabes qué significa esto? Significa que el Evangelio es, en un sentido muy literal, católico.

Entonces, ¿cuál es el problema?

Hay toda una historia detrás de cómo y porqué la Iglesia Cristiana se separó en católicos y protestantes (y es interesantísima[144]), pero quiero enfocarme en lo que nos une, porque es lo importante para que los no-creyentes puedan llegar a los pies de su Salvador. Y para poder entender lo que nos une, hay que examinar las doctrinas que gobiernan nuestras iglesias Cristianas; *todas* nuestras iglesias Cristianas.

Son tres: la Doctrina Esencial, la Doctrina Secundaria y la Doctrina Terciaria.

La Doctrina Esencial

La Doctrina Esencial es la más importante. La Doctrina esencial contiene las creencias básicas, esenciales y necesarias para poder ser Cristianos. Una religión no es Cristiana si carece o distorsiona algún aspecto de esta Doctrina Esencial.

Entonces, ¿qué incluye la Doctrina Esencial? Estos son los puntos fundamentales:

- Hay un solo Dios, trino, existiendo eternamente en tres personas distintas, pero uno en naturaleza, sentir y voluntad: el Padre, el Hijo (quién fue hecho hombre en la persona de Jesús) y el Espíritu Santo, llamados la Trinidad. (Para entender esto, piensa en la ecuación: 1x1x1=1. Son tres unos distintos, pero iguales en valor e importancia para la ecuación; entonces, cuando los multiplicamos todos juntos, ¡el valor de toda la ecuación sigue siendo uno!)

- Este Dios es el Creador Todopoderoso.

- Jesucristo, nuestro Señor, es el unigénito Hijo de Dios, completamente Dios y completamente humano, en una sola persona. Éste es el Cristo, quién fue hecho carne por el poder del Espíritu Santo y nació de la virgen María. Jesucristo vivió una vida perfecta y sin pecado, fue crucificado bajo Poncio Pilato, sufriendo la muerte de Cruz para el perdón de nuestros pecados y fue sepultado. Al tercer día, resucitó corporalmente, de acuerdo con la Escrituras y luego ascendió al Cielo para sentarse en la diestra de Dios Padre. Regresará por segunda vez en gloria para juzgar a los vivos y a los muertos y Su reinado no tendrá fin. No hay otro nombre por el cual podamos ser salvos (y esto significa que el universalismo[145] es contrario a nuestras creencias).

- El Espíritu Santo es el Señor y dador de

vida, quién es digno de gloria y adoración junto con el Padre y con el Hijo.

• Las Escrituras fueron inspiradas por el Espíritu Santo y afirmamos que son históricamente confiables y doctrinalmente autoritativas.

• La cosmovisión Cristiana promueve una santa y gozosa renovación de cada individuo y del universo y, por tal razón, estamos de acuerdo con las siguientes convicciones Bíblicas:

> El amor al prójimo y el alivio del sufrimiento humano es, en todas sus vertientes, parte integral del discipulado Cristiano.
>
> El matrimonio es el pacto de por vida entre un hombre y una mujer; y que el matrimonio es el único contexto
>
> legítimo para cualquier actividad sexual.
>
> Todos los seres humanos tienen un derecho intrínseco a la vida, incluyendo aquellos que aún no han nacido.

Si una religión tiene algunos elementos de esta Doctrina Esencial y otros no, se le conoce como una secta del Cristianismo. Los Testigos de Jehová, por ejemplo, rechazan en su totalidad la divinidad de Jesús (negando así la Trinidad), por lo tanto, esto hace que sean una secta del Cristianismo y no una iglesia Cristiana. Igual con los Mormones, quienes rechazan que Dios es uno. Como estas religiones carecen o distorsionan algún aspecto de esta Doctrina Esencial, se consideran sectas y no iglesias Cristianas.

Doctrina Secundaria

El teólogo C.S. Lewis comparó el Cristianismo a una gran casa y las denominaciones son como los cuartos.[146] La Doctrina Secundaria son aquellas creencias y dogmas que se practican en las iglesias que no pueden convivir bajo un mismo cuarto. Es aquí que la iglesia se "divide" en denominaciones, como los Evangélicos, los Bautistas, los Pentecostales, y todas las demás que ya conocemos.

¿A qué me referiero con "creencias que no pueden vivir bajo un techo"?

Me refiero a ciertos dogmas y doctrinas que son aceptadas por una denominación, pero son rechazadas en otra. Por ejemplo, hay iglesias que piensan que las mujeres no deben ser pastores y hay otras que sí. Obviamente, una persona que crea que las mujeres no deben ser pastores le va a resultar muy incómodo asistir a una iglesia que sí las permita. De igual forma, en este escalón doctrinal, también se encuentra el famoso debate de "predestinación vs. libre albedrío." Igual, quiénes piensan y predican que Dios otorga salvación a quién quiere, no estarán a gusto en una iglesia que predique que las personas deciden aceptar el sacrificio de Jesús o no. Hay iglesias que entienden que hay que guardar el sábado y otras no, y así sucesivamente. Evidentemente, no puede haber mentalidades opuestas sobre temas como éstos dentro de la misma iglesia, por lo cual se subdividen en denominaciones. Surgen estas diferencias por una sencilla razón: discrepancias sobre lo que expresan los distintos textos Bíblicos cuando tocan estos temas.

Ahora bien, vale la pena resaltar que, aunque estas diferencias son importantes para los que practican tal o cual, no son divisorias de la fe que tenemos en Jesucristo. Por lo menos, ¡no deberían serlo! Lo que nos une es nuestra salvación y ésta depende de poder confesar con nuestra boca que Jesús es el Señor y creer en nuestro corazón que Dios lo levantó de los muertos.[147] Esto es Doctrina Esencial, no Doctrina Secundaria. Por ejemplo, el asunto de "predestinación vs libre albedrío" es un debate sobre *cómo* se recibe la salvación, que es una Doctrina Secundaria. Lo que viene siendo Doctrina Esencial es el *qué* nos hace salvos (que ya lo mencionamos).

Somos hermanos y hermanas en Cristo, no porque estemos –literalmente– bajo un mismo techo, ¡sino porque creemos en las mismas cosas sobre el mismo Dios (Doctrina Esencial), independientemente de cómo las creemos o las expresamos (Doctrina Secundaria)!

Es absolutamente necesario recalcar que creer en la Doctrina Esencial es lo que nos hace hermanos y hermanas en Cristo. Por esto es que podemos ser uno y tener unidad, a pesar de las diferencias que puedan haber entre las denominaciones. Es aquí que tenemos que mirar para encontrar lo que nos une y nos hace iguales ante los ojos de Dios. Es aquí donde necesitamos poner énfasis.

(Más de esto pronto.)

Doctrina Terciaria

La Doctrina Terciaria son aquellas creencias y dogmas que se practican en las iglesias que sí pueden convivir bajo un mismo cuarto.

Por ejemplo, cosas sobre qué vestimenta es apropiada, o si el rapto es “antes, durante o después" de la Gran Tribulación (o que sólo habrá "segunda venida" y no "rapto"). Hay quienes piensan que hablar en lenguas es confirmación de la recepción del Espíritu Santo, hay otros que no. La pregunta "¿La Creación fue en 6 días de 24 horas o un espacio de mil millones de años?" también está en este renglón. Aquí también está el famoso tema de los tatuajes y las diversas ideas sobre diferentes seres espirituales (ángeles, demonios, etc). Hay muchas otras cosas semejantes que se pueden mencionar, pero entiendo que ya tenemos una buena idea de lo que trata. Es importante notar que éstas ideologías no fueron hechas porque Dios las haya dicho explícitamente en Su Palabra, sino por alguna combinación de algunas (o todas) de las siguientes razones: convenciones culturales/sociales de cada iglesia, o necesidades específicas de una región, deducciones personales de lo que la Biblia dice, o adaptaciones con verdades científicas, entre otras.

Al igual que con la Doctrina Secundaria, los elementos en la Doctrina Terciaria no son asuntos de salvación. Dios no te va a enviar al infierno por creer que el Diluvio de Noé no cubrió todo el globo terráqueo literalmente, o porque pienses que el universo tiene varios mil millones de años, o porque tengas (o quieras) tatuajes. Son temas que son buenos discutir y pensar, pero no deberían ser utilizados para condenar, porque de estos temas no depende la salvación. Una cosa es decir que no estás de acuerdo con que una persona Cristiana utilice mahones (por ejemplo), es otra muy distinta sentarte en el trono de Dios y hacer juicios sobre el destino eterno de esa persona que piensa distinto a ti. La primera es una opinión personal (que se respeta), ¡la otra es un juicio eterno que no nos toca!

Asesinándonos los unos a los otros... ¡en el nombre de Jesús!

Ya aprendimos de las tres tipos de doctrinas en las iglesias Cristianas, ¿y ahora qué?

Ahora nos toca entender que, si otra Iglesia cree en la Doctrina Esencial, son nuestros hermanos en Cristo, ¡dignos de amor y respeto, porque vamos a pasar una eternidad juntos delante de Dios! El problema es que, muchas veces, juzgamos a nuestros hermanos en Cristo a base de nuestras Doctrinas Secundarias (¡y a veces hasta con las Terciarias!) como si fueran las Esenciales. En otras palabras: hacemos requisitos de salvación asuntos que no tienen que ver con la salvación. Antes de odiar a nuestros hermanos, y así asesinarlos, tenemos que estar conscientes de que debe haber una separación entre nuestras preferencias personales (y costumbres culturales) y lo que verdaderamente constituye un quebrantamiento de una ley divina y eterna. Muchas veces, estamos mandando a hermanos en la fe para el infierno por cosas que no nos gustan a nosotros, pero, en realidad, son cosas que Dios no les presta importancia.

Es importante entender que la unidad no significa ser iguales, ni estar de acuerdo en todo. La unidad es poder trabajar juntos hacia una misma meta, a pesar de nuestras diferencias. ¿Cuál es nuestra meta? Fácil: conocer a Dios[148] y darlo a conocer.[149] Juntos. Unidos. Si no, el mundo no creerá que Jesús es el Hijo Dios. El Cristianismo no es para llaneros solitarios, es para vivirse en comunidad.

Y no es fácil.

> **"La unidad no significa ser iguales, ni estar de acuerdo en todo. La unidad es poder trabajar juntos hacia una misma meta, a pesar de nuestras diferencias."**

Si en la escuela has tenido que trabajar en grupo con tus compañeros, sabes que por lo general era algo… ¿divertido? ¿interesante? No, no. Creo que la palabra que busco es "horrible". Si hay dos personas en un lugar, van a haber conflictos, ¡imagina si hay decenas! Lo importante es que todos tenemos la misma meta: amar y conocer a Dios, para darlo a conocer. En un momento dado, uno de los discípulos de Jesús le dijo que encontraron unas personas que hacían cosas en Su nombre, pero no pertenecían al grupo de Sus discípulos. Como esas personas no eran parte de los discípulos, se les mandó a que dejaran de hacer cosas en el nombre de Jesús.[150] Entonces, Jesús les respondió algo importante:

"Todo el que no está en contra de nosotros está a nuestro favor."[151]

No seamos como aquellos discípulos. Enfoquémonos en lo que nos une, no en lo que nos separa.

Si predican y creen en la Doctrina Esencial, ¡tienen la sana doctrina! Los veremos en el Cielo. Todo lo demás son decoraciones dentro de los cuartos en la gran casa que es el Cristianismo. Ahora bien, ¿cómo se puede convivir en esta casa?

Sencillo: Amándonos.

> **No seamos como aquellos discípulos. Enfoquémonos en lo que nos une, no en lo que nos separa.**

De hecho, para eliminar cualquier duda, lo que Jesús dijo –y repitió constantemente– lo dijo como mandamiento:

"Así que ahora les doy un nuevo mandamiento: ***ámense unos a otros****. Tal como yo los he amado, ustedes deben amarse unos a otros.* ***El amor que tengan unos por otros será la prueba ante el mundo de que son mis discípulos."***[152]

Fijate que Jesús no habla de un amor general, como, por ejemplo: amar al pobre o a cualquier otra persona (aunque se debe hacer, no es el caso aquí). Este amor por los demás no es el que persuade al mundo de que la verdad del Evangelio es cierta, ni que somos discípulos de Jesús. Se logra emitir este mensaje de Salvación con efectividad cuando nos amamos *los unos a los otros*. Es cuando somos uno (así como Jesús y el Padre eran uno) que el mundo sabrá que Jesús es el Hijo de Dios.[153]

Si nosotros (que estimamos la Biblia como la Palabras de Dios y máxima autoridad) no vivimos las verdades que nos dice la Biblia, no vamos a poder demostrar esas verdades de la Biblia a los demás. ¿Qué se puede responder cuando dicen: "No voy para la iglesia; son todos unos hipócritas"? ¿Cómo se refutan las palabras: "Es que esa gente vive igual que yo" cuando son verdad?

Pablo mismo lo dice:

"Si hablo en lenguas humanas y angelicales, pero no tengo amor, no soy más que un metal que resuena o un platillo que hace ruido. Si tengo el don de profecía y entiendo todos los misterios y poseo todo conocimiento, y si tengo una fe que logra trasladar montañas, pero me falta el amor, no soy nada. Si reparto entre los pobres todo lo que poseo, y si entrego mi cuerpo para que lo consuman las llamas, pero no tengo amor,

nada gano con eso."[154]

Nada sirve sin amor. Sin amor, la iglesia se convierte en algo que molesta ("metal que resuena") y su mensaje no es dulce música, sino que se convierte como un platillo que "hace ruido". Tener todo el conocimiento del mundo y toda la fe, dice Pablo, hace nada si no hay amor también.

Obviamente, nadie es perfecto. Todos somos culpables de esto. Pero, la iglesia no va a cambiar si lo único que esperamos de nosotros mismos es poder llegar temprano al culto (cuando se pueda). La situación no cambiará si los que trabajan en la iglesia viven bajo la ilusión de que el amor es una preocupación secundaria. Pensamos –tal vez inconscientemente– que esa vida de la Iglesia Primitiva de Hechos no es posible en la actualidad y, tal vez, que no es práctica.

Y es cierto.

Si viésemos algo así, como lo de la Iglesia Primitiva de Hechos sucediendo hoy día, sería como un milagro. Estaría sucediendo algo sobrenatural y todos, creyentes y no-creyentes, sabrían que algo está pasando que está fuera de este mundo. Que hay algo diferente en la casa del Cristianismo…

¡Y ese es el punto!

¡Salgamos de la casa a asesinar!

Si es importante no asesinarnos dentro de nuestra propia casa para que la gente sepa que somos discípulos de Jesús (y que Jesús es el Mesías), imagina lo importante que es no asesinar a nadie que esté fuera de la casa del Cristianismo.

Recuerda: la idea es que entren a la casa, no que huyan.

Y no es muy bonito cuando echamos balas en nuestras bocas y empezamos a dispararle a los que se empiezan a acercar, sobre todos si pensamos que va a atacar la casa. Entiendo que queremos defender lo que creemos, pero la forma en que lo estamos haciendo hace que la casa tenga todo lo acogedor, dulce y cálido que tiene un fortín militar. ¿Cómo los no-creyentes van a querer entrar al Cristianismo, si ni siquiera pueden acercarse sin recibir varios balazos?

Dice la Biblia que tenemos que estar listos para presentar defensa, pero dice que tenemos que hacerlo con "humildad y respeto".[155] Cuando hacemos esto logramos que la gente que habla en contra de nosotros sea "avergonzada al ver la vida recta que llevamos, porque pertenecemos a Cristo".[156]

Actualmente, ¿cómo reaccionamos ante

aquellos que tienen ideas erróneas, contrarias, o que atacan abiertamente el Evangelio? ¿Nos enfadamos? Entonces, no estamos siendo humildes. ¿Lo mandamos para el infierno porque nos ofendieron? No estamos siendo respetuosos. ¿Decimos nada? Entonces no estamos cumpliendo el mandato de defender la esperanza que hay en nosotros.[157]

Es importante entender que no estoy diciendo que cambiemos el mensaje de Cristo para atraer más gente al Cristianismo. Tampoco estoy diciendo que tenemos que pasarle la mano a los pecados para que la iglesia "le caiga bien" a las personas que no son Cristianas.[158] Estoy diciendo que tenemos que enfatizar el amor entre nosotros primero, para luego hablarle al mundo de las verdades del amor del Evangelio, con -¡ya saben!- amor. ¿Por qué? Porque la verdad sin amor es cruel y el amor sin verdad es cobardía.

La verdad sin diluir, pero con amor.

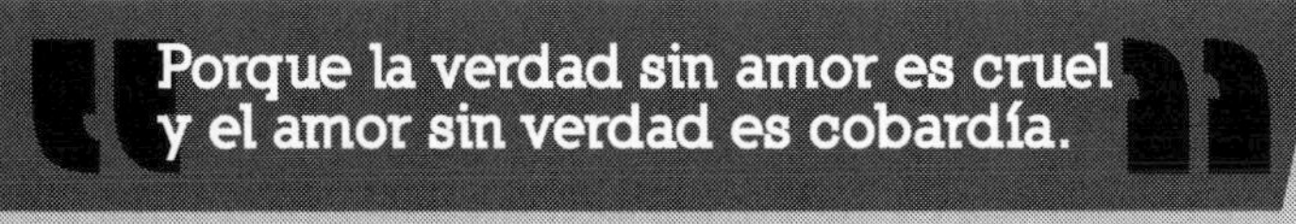

Cuando nos enfrentamos a alguien que piensa distinto a nosotros, hace falta tolerancia. Es de suma importancia destacar que hay una diferencia entre estar de acuerdo con una postura y tolerar una postura. ¿Qué es tolerancia? La tolerancia es una actitud de respeto hacia las opiniones, ideas o actitudes de las demás personas aunque no coincidan con nuestras propias posturas.[159] Por lo tanto, para uno poder tolerar algo, primero se tiene que estar en contra de ese algo. Cuando una persona está de acuerdo con una postura, ¡no tiene porqué tolerarla! Por ejemplo, no estamos de acuerdo con las acciones de una persona que practica la homosexualidad, pero podemos tolerar a esa persona: podemos demostrar respeto (¡y amor!) cuando hablemos y la escuchemos mientras vamos y tomamos un café o en el servicio de la iglesia. No nos toca cambiar, ni convencer a las personas de que están viviendo vidas en pecado; ¡eso le toca al Espíritu Santo![160] A nosotros nos toca vivir unas vidas tan y tan parecidas a la de Jesús, que cuando le digamos a las personas de la salvación maravillosa que nos regalaron, ellos vean que una vida con Jesús es mejor que una vida de pecado; que la satisfacción que busca su corazón y anhela su alma está en Cristo.

“No nos toca cambiar, ni convencer a las personas de que están viviendo vidas en pecado; ¡eso le toca al Espíritu Santo!”

De hecho, para poder lograr esto tenemos que ir más allá de la tolerancia: hacia la aceptación.

No estoy diciendo que debemos cambiar nuestras convicciones ni teología para aceptar pecados. Lo que estoy diciendo que nuestra teología y convicciones tienen que ver (literalmente) con amar y aceptar a los pecadores, ¡tal como lo hizo Dios con nosotros![161] Jesús se sentaba con los pecadores;[162] los amaba, los aceptaba. Sin embargo, también los retaba con Su vida: les enseñaba con sus hechos y palabras que seguirlo a Él era mejor que vivir en sus pecados. ¿No hizo lo mismo con nosotros? Recuerda: nosotros no fuimos los que tuvimos que llegar al nivel de Dios, sino que fue Él quien bajó a nuestro nivel para poder levantarnos al suyo.

Eso es lo que tenemos que hacer.

Nos toca tolerar, aceptar y amar a las personas. Dios es quién se ocupa del pecado de ellas. Piénsalo: imagina que te acercas a mí sintiéndote triste e insatisfecho(a) con tu vida, ¿qué desearías que hiciera? ¿Que te diga que estás así porque lo estás haciendo todo mal o que te dé un abrazo y te escuche? El salmista lanzó un reto: "Prueben y vean que el Señor es bueno; ¡qué alegría para los que se refugian en él!"[163] ¿Estamos dándole la oportunidad a las personas a que vengan y puedan probar (¡de "verificar", no de "saborear"!) que Dios es bueno o les gritamos "¡Dios es bueno!" sacándolos de nuestras iglesias (o vidas) con una patada emocional en el corazón? Dios es fiel y quien lo busca, lo encuentra.[164] ¿Estamos ayudando a que ese encuentro entre Dios y las personas suceda? Las herramientas que abren el camino para que ese encuentro suceda son: aceptación, compasión y amor.

Amando, no asesinando

La idea es sencilla: en cuanto dependa de nosotros, debemos estar en paz con todas la personas.[165] Esto incluye cuando nos están atacando o atacando la casa del Cristianismo. La paz debe ser algo que persigamos a través del amor hacia el prójimo. Tan importante es este punto, que Jesús dijo:

"[...] si presentas una ofrenda en el altar del templo y de pronto recuerdas que alguien tiene algo contra ti, deja la ofrenda allí en el altar. Anda y reconcíliate con esa persona. Luego ven y presenta tu ofrenda a Dios."[166]

Nota que no dice: *"si tú tienes algo en contra de tu hermano"*. Lo que dice es *"si te recuerdas de que tu hermano tenga algo contra ti"*, ¡eres tú quién debe ir y reconciliarse! ¿Por qué? Porque, en cuanto dependa de nosotros, tenemos que estar en paz con todos. Eso incluye nuestros enemigos. De hecho, la Biblia dice que tenemos que amar a nuestros enemigos. Es lo primero que dice el pasaje:

"A los que están dispuestos a escuchar, les digo: ¡amen a sus enemigos! Hagan bien a quienes los odian. Bendigan a quienes los maldicen. Oren por aquellos que los lastiman."[167]

Ahí está. Lo primero que tenemos que hacer por nuestros enemigos no es orar por ellos, es *amarlos*. Tal vez, el versículo se puede leer como una lista de qué hacer en cada ocasión independiente que menciona, pero la realidad es que todas tienden a suceder a la vez: quién es nuestro enemigo nos odia, nos maldice y nos lastima (aunque no sea sólo físicamente).

¿Qué puedes hacer cuando te enfrentas a una persona hostil ante el Evangelio?

1. *Nunca presumas* - haz preguntas (muchas preguntas) para asegurarte de que entiendes lo que la otra persona está pensando y puedas responder a las inquietudes reales de las personas y no responder a lo que tú piensas que dijo.

2. *Escucha para entender, no para responder* - usa las preguntas del primer punto para tratar de entender la postura de la persona. Escúchala. Muchas veces eso es lo más que necesita. No te preocupes qué contestarle, ¡escúchala y ora por ella!

3. *Nunca respondas con hostilidad (ni burla, ni sarcasmo)* - siempre recuerda que la respuesta apacible desvía el enojo, pero las palabras ásperas encienden los ánimos.[168] Si la persona viene con enojo o burla, ¡no hagas lo mismo! Si respondes con enojo ante el enojo, nunca van a poder tener una conversación. Jesús dijo que íbamos a ser ridiculizados y burlados por nuestra fe, ¡así que no nos debe sorprender ni molestar cuando suceda! Todo lo contrario: tenemos que mantenernos con "humildad y respeto", no importa con qué aires llegue la otra persona.

4. *Escucha honestamente* - ¿ya dije este? Es que es importante. La Biblia nos dice que seamos más rápidos para escuchar, que para hablar.[169] Sigamos esta instrucción. Como he escuchado decir: Dios nos dio dos oídos, pero una sola boca.

5. *No te preocupes* - no tienes que tener todas las respuestas a todas las preguntas o reclamos que hacen las personas en contra del Cristianismo. No tienes que ir a estudiar teología para poder ser un buen Cristiano. Lo que sí nos toca es demostrar que Dios existe, es real y es bueno con la forma en que vivimos. Esa es la mejor defensa del

Cristianismo: ¡viviéndolo como se supone! El predicador y teólogo Charles Spurgeon dijo algo sobre defender la Biblia que, pienso yo, le aplica al Cristianismo entero cuando lo vivimos correctamente: "[El Cristianismo] se defiende de la misma forma que defendemos un león: abrimos la jaula y lo soltamos."

6. *Pierde el argumento, pero gana el amigo* - ¿alguna vez te ha caído alguien mal? Cuando alguien te cae mal, ¡se activa la habilidad de encontrarle algo malo a todo lo que hace! Las verdades del Evangelio ya son suficientemente ofensivas y no hace falta usarlas para dar bofetadas espirituales. Trata de que tus conversaciones con personas no-creyentes terminen con la promesa de otra conversación. Cuando le caes mal a alguien, esa persona nunca va a poder ver todo lo bueno que ha hecho Dios en ti. Cuando haces de esa persona un amigo(a), entonces vas a poder mostrarle lo mucho mejor que es vivir para Cristo que para nosotros mismos.

7. *Siempre escucha* - no estoy seguro si lo he dicho antes, pero, para que no se nos olvide: ¡escucha! Aprende lo que puedas sobre el potencial hermano(a) en Cristo que tienes de frente. Muchas veces, el obstáculo

que aleja a esa persona de Dios sale a la luz en una conversación sincera, cuando esa persona se siente que la están escuchando en amor.

Amor y Amor

La importancia del amor hacia nuestros hermanos (creyentes), y el amor hacia nuestro prójimo (no-creyentes) no puede ser lo suficientemente subrayada. Puesto simplemente: el que no ama no es de Dios, porque Dios es amor.[170]

No hay un punto neutral: o amamos a los demás, o los asesinamos.

Incumplir el mandamiento de "ama a tu prójimo como a ti mismo" nos lleva a todos los pecados asociados con el pecado del "asesinato" que discutimos en el capítulo anterior. Y empieza por nuestros hermanos y hermanas en la fe. No hay una forma linda de decirlo:

"Si alguien dice: 'Amo a Dios', pero odia a otro creyente, esa persona es mentirosa pues, si no amamos a quienes podemos ver, ¿cómo vamos a amar a Dios, a quien no podemos ver? Y él nos ha dado el siguiente mandato: los que aman a Dios deben amar también a sus hermanos creyentes."[171]

Es 100% entendible que una persona

no-creyente mire el Cristianismo y decida no ser parte de las guerras civiles teológicas que tenemos. Pienso que, cuando podamos amarnos para poder andar en unidad, entonces el mundo va a ver a Dios. ¿Cómo lo sé? Porque nadie jamás ha visto a Dios; pero si nos amamos unos a otros, Dios vive en nosotros y su amor llega a la máxima expresión en nosotros.[172]

Y eso es lo que se necesita. ¡Que la gente vea a Dios viviendo en nosotros! ¡Así es como le mostramos a Dios al mundo!

Y esto se logra amándonos los unos a los otros.

> “¡Que la gente vea a Dios viviendo en nosotros! ¡Así es como le mostramos a Dios al mundo!”

El amor por los hermanos se va a traducir en amor por nuestro prójimo, ¡porque queremos que no se queden como prójimos, sino que sean hermanos! Por eso tenemos que trabajar árduamente en amar los hermanos, porque si no nos amamos los unos a los otros, que tenemos a Cristo en común, ¿cómo vamos a amar a los que no tienen nada en común con nosotros? La unidad no viene naturalmente. Lo que viene naturalmente es ser egoístas y solo estar con aquellos que me hacen sentir bien y no me retan a pensar, a estudiar y a crecer. Pero, el amor no se encuentra, el amor se alcanza. Hay que trabajar para lograrlo.

El amor por los hermanos se va a traducir en amor por nuestro prójimo, ¡porque queremos que no se queden como prójimos, sino que sean hermanos!

Cuando entendemos esto dentro de las iglesias, lo podemos aplicar fuera de ellas. La razón es sencilla:

"Si solo amas a quienes te aman, ¿qué recompensa hay por eso? Hasta los corruptos cobradores de impuestos hacen lo mismo. Si eres amable solo con tus amigos, ¿en qué te diferencias de cualquier otro? Hasta los paganos hacen lo mismo. Pero tú debes ser perfecto, así como tu Padre en el cielo es perfecto."[173]

Me encanta este pasaje porque Jesús nos pide que no nos comparemos con los corruptos, ni con los paganos. Los corruptos y los paganos aman solo a quienes los aman a ellos. ¿Somos paganos? ¿Somos corruptos? No nos toca compararnos con ninguna otra persona; ni con ateos, ni con nuestros propios pastores. Nos toca compararnos con Dios mismo. Tenemos que ser perfectos. Nada menos.

Embudo

No sé si te has dado cuenta, pero hemos ido desde el Cristianismo en general, hasta las distintas iglesias que profesan amor a Jesús. Lo último que nos falta somos nosotros: los miembros de la Iglesia de Cristo. Quiero terminar este libro con unos consejos prácticos para poder buscar de Jesús y estudiar Su palabra. Porque lo que sembramos en el silencio de nuestra soledad, Dios lo recompensa en la luz de Su Gloria.

> "El amor no se encuentra, el amor se alcanza. Hay que trabajar para lograrlo."

Capítulo 6
Sembrando en Privado, y Cosechando en Público

Quiero darle atención a donde todo comienza: por ti y por mí. Lo que Jesús hizo, lo hizo personalizado para cada uno de nosotros. Una de sus gotas de sangre llevaba mi nombre y había otra con el tuyo.

Desde el principio de este libro, hablamos sobre cómo Jesús dio su vida por nosotros y nosotros no estamos dando la nuestra por Él. Pero, ¿cómo se logra? ¿Qué hay que hacer para seguir a Jesús?

Empecemos por el mejor lugar para contestar estas preguntas: La Biblia. Así que quiero re-visitar un versículo que ya habíamos mencionado:

"Luego Jesús dijo a sus discípulos: 'Si alguno de ustedes quiere ser mi seguidor, tiene que abandonar su manera egoísta de vivir, tomar su cruz y seguirme'."[174]

Ya.

Ahí está: seguir a Jesús requiere dejar nuestra manera egoísta de vivir, tomar nuestra cruz, y seguirlo. Sencillo, ¿verdad? ¡Claro que sí!

¿Fácil?

No tanto.

Abandonando nuestra manera egoísta de vivir

Nuestro primer obstáculo para poder seguir a Jesús es nuestra manera egoísta de vivir. Es el más grande obstáculo. Como ya mencionamos, vivimos en un mundo que, constantemente, busca hacernos vivir de forma egoísta: "busca tu propia felicidad", "vive tu mejor vida", "la contestación está en tu interior". Todos los consejos se centran en nosotros mismos. Estamos expuestos a este pensamiento desde que nos levantamos hasta que nos volvemos a dormir. Afecta todos los aspectos de nuestras vidas: desde nuestras relaciones, ¡hasta nuestra peticiones! Mira lo que dice la Biblia:

"¿Qué es lo que causa las disputas y las peleas entre ustedes? ¿Acaso no surgen de los malos deseos que combaten en su interior? Desean lo que no tienen, entonces traman y hasta matan para conseguirlo. Envidian lo que otros tienen, pero

no pueden obtenerlo, por eso luchan y les hacen la guerra para quitárselo. Sin embargo, no tienen lo que desean porque no se lo piden a Dios. Aun cuando se lo piden, tampoco lo reciben porque lo piden con malas intenciones: desean solamente lo que les dará placer."[175]

Ya habíamos dicho que el egoísmo provoca todos los problemas en nuestra sociedad y que es absolutamente contrario a lo que Jesús vivió y predicó. Jesús no vino a ser servido, sino a servir[176], pero a nosotros no nos gusta eso de tener que sudar nuestra ropa bonita de domingo ayudando a limpiar la iglesia. Jesús se pasaba con los marginados[177], pero a nosotros solo nos gusta ayudar a las personas que puedan ayudarnos. Dejamos que el egoísmo tome las decisiones de nuestra vida y no se puede ser Cristiano así.

Si somos egoístas, ¿cómo pretendemos ser seguidores de Jesús?

Piénsalo. Si te ofrecen un trabajo nuevo con el doble de tu salario, ¿piensas en el carro nuevo que puedes comprar, o que tu nuevo horario conflige con los horarios de tu iglesia? Si te encuentras $100 en el suelo de una tienda, ¿los llevas al gerente o te los quedas? Cuando tienes prisa para llegar a un trabajo y un mendigo te pide de comer, ¿qué haces?

Tenemos que abandonar nuestra manera

egoísta de vivir.

¿Cómo resolvemos esto?

La clave está en seguir los dos mandamientos que Jesús nos dio cuando le preguntaron

"¿Cuál es el gran mandamiento en la ley?"

Jesús le dijo: Amarás al Señor tu Dios con todo tu corazón, y con toda tu alma, y con toda tu mente. Este es el primero y grande mandamiento. Y el segundo es semejante: Amarás a tu prójimo como a ti mismo. De estos dos mandamientos depende toda la ley y los profetas.[178]

Hay que amar a Dios y a nuestro prójimo.

Ya hablamos de cómo amamos a nuestros prójimos en el capítulo anterior, pero, ¿cómo amamos a Dios?

Por lo general, cuando amamos a una persona, no la podemos amar como a nosotros nos plazca amarla; eso no es amar, ¡es egoísmo! Imagina que a tu pareja le fascina el béisbol y el sushi. Sin embargo, a ti te gusta la comida italiana y el cine. En el día de tu cumpleaños, tu pareja planifica un día perfecto: ¡taquillas de primera fila para el partido de béisbol y reservaciones en el mejor restaurante de sushi de la ciudad! ¿Qué pensarías? ¿Te sentirías que el regalo es para ti? ¿Te sentirías amado(a)?

¡Claro que no!

Cuando queremos demostrarle a una persona que la amamos, buscamos todo lo que le agradan a *esa* persona. Hacemos las cosas que le gustan a esa persona para que vea que estamos muy interesados en agradarle. Pero para poder lograr esto, tenemos que pasar tiempo con la persona y dedicarnos a conocerla.

Si hacemos cosas para otros que sólo nos gustan a nosotros, no estamos amando correctamente. Amamos a alguien cuando nos sacrificamos para amar a esa persona de la forma que esa persona quiere ser amada.

Entonces, ¿cómo amamos a Dios?

"Si hacemos cosas para otros que sólo nos gustan a nosotros, no estamos amando correctamente."

Ya vimos cómo Dios quiere que lo amemos: con todo nuestro corazón, con toda nuestra alma y con toda nuestra mente. Fácil, ¿verdad?

Espera.

¿Sabemos qué es nuestro corazón? ¿Cómo puedo amar a Dios con mi corazón? ¿Qué tal tu alma? ¿Qué es? ¿Cómo se ama a Dios con mi alma? ¿Y con mi mente?

Muchas veces leemos aquel versículo y lo resumimos: “hay que amar a Dios con todo lo que somos” y ya. Sí, es cierto. Sin embargo, Jesús hace una distinción entre cada aspecto de quiénes somos. El hecho de que Jesús haya puesto la palabra “y” entre cada uno de los elementos que menciona significa que cada uno tiene su particularidad y que amarlo tiene que ser con todos estos aspectos a la vez; no puedo amar a Dios con mi corazón, pero no con mi alma, por ejemplo.

Entonces, ¿qué es mi corazón? ¿Cómo amo a Dios con mi corazón?

Nuestro corazón es el centro de nuestros deseos y nuestra voluntad.[179] Además, es de dónde vienen nuestros sentimientos.[180] Esto significa que para amar a Dios con nuestro corazón necesitamos fundamentar nuestros deseos en Su Palabra, rendir nuestra voluntad a la voluntad de Dios, y guiar nuestros sentimientos a través de Su verdad.

Y esto no es fácil.

Hacer la voluntad de Dios por encima de lo

que a nosotros nos gusta no siempre trae felicidad, pero siempre traerá gozo. Cuando entendemos que no vivimos para nosotros, nos damos cuenta de que, cuando amamos, lo que nosotros queremos es agradar a la otra persona.

Hacer la voluntad de Dios por encima de lo que a nosotros nos gusta no siempre trae felicidad, pero siempre traerá gozo.

Ahora, ¿qué es mi alma? ¿Cómo amo a Dios con mi alma?

Nuestra alma es nuestro *"yo"* inmaterial, el centro de nuestra personalidad y nuestro carácter.[181] Quién tú eres, es lo que se conoce como *"alma"*. Un autor capturó la esencia de la idea:

"Tú no tienes un alma; tú eres un alma. Lo que tienes es un cuerpo."[182]

Cuando miras a una persona, no estás viendo a la persona, estás viendo en dónde está la persona: su cuerpo. Si lo analizas bien, te das cuenta de que, en realidad, no puedes ver lo que hace a una persona ser esa persona, porque esa parte no es material. Una persona es: su personalidad, su carácter, y su forma de ser. ¡Todo esto es el alma y no hay características físicas para describirla! Si toman tu alma y la ponen en el cuerpo de tu amigo o amiga, vas a seguir siendo tú, ¡pero en el cuerpo de tu amigo(a)! Tú no eres tu cuerpo: ¡tú eres tu alma! Tu alma utiliza tu cuerpo físico para hacer cosas que no son físicas: utiliza tus oídos para escuchar, tu lengua para degustar y tus ojos para observar. Es como la música dentro de tu teléfono móvil: la música no es tu móvil, pero la música está en el móvil. Si se te pierde el móvil, ¿la música deja de existir? ¡No! ¿La música depende del móvil para ser música? ¡Tampoco! Repito: nuestra alma está en nuestro cuerpo, pero no es nuestro cuerpo. Por lo tanto, para poder amar a Dios con nuestra alma, debemos dedicarnos a Dios de forma que Él moldee nuestro carácter al suyo, para que nuestra personalidad lo refleje en todo lo que digamos y hagamos.

¿Qué tal la mente?

Nuestra mente es el centro de nuestra razón y nuestros pensamientos.[183] Es el portero de nuestro ser, lo que guarda nuestro corazón y vigila las acciones de nuestra alma.

La forma de amar a Dios con nuestra mente es sencilla. Amamos a Dios con nuestra mente cuando la exponemos a la verdad: Su Palabra[184] y la persona de Jesús[185].

Tal vez te preguntes: ¿Por qué hay que amar a Dios con las tres cosas a la vez?

Fácil: el corazón, el alma y la mente trabajan juntos. ¡Es a través de esta integración que amamos a Dios como Él quiere ser amado! ¿Cómo se integran? Hay tres pasos:

Primero, la mente recibe.

Por esto es tan importante conocer la Verdad de Dios. Es en la mente donde decidimos qué es lo correcto y qué no. Es en la mente que aceptamos o rechazamos ideas, información y todo lo demás que recibe. Si no tenemos una medida correcta de lo que es verdad, entonces no sabremos reconocer lo que *no* es verdad. Para poder conocer la mentira, primero hay que conocer la verdad. No se puede saber cuando una línea es curva, sin antes saber cómo es una línea recta.

> **Amamos a Dios con nuestra mente cuando la exponemos a la verdad: Su Palabra y la persona de Jesús.**

Segundo, el corazón cree.

Una vez nuestra mente acepta algo, el corazón lo cree como cierto, ¡aunque no lo sea! Si nuestra mente no conoce la verdad, nuestro corazón creerá mentiras. Piénsalo. ¿Nunca has creído en algo que no era verdad? Es nuestro corazón quién se hiere cuando nos damos cuenta que creíamos en una mentira. Por esto es que la Biblia nos dice que guardemos nuestro corazón. Guardar nuestro corazón no es cerrarlo ante todo, es ser sabios sobre qué entra en él.

Tercero, el alma vive.

Cuando nuestro corazón cree, nosotros vivimos según esas creencias. Nuestra personalidad, nuestro carácter y todo nuestro ser tomará decisiones y acciones a base de ello. Cuando la Palabra nos dice que del "corazón mana la vida"[186] es porque, una vez el corazón se convence de algo, el alma lo vive y lo expresa.

Si nuestra mente no conoce la verdad, nuestro corazón creerá mentiras.

Al estar tan integrados nuestro corazón, alma y mente, llegamos a una única conclusión: o amamos a Dios con todo lo que somos, ¡o no estamos amando a Dios!

Para amar a Dios, tenemos que amarlo de la forma que Él quiere ser amado, no como nosotros queramos amarlo. La forma correcta de amar a Dios es con todo nuestro corazón, con toda nuestra alma y con toda nuestra mente, ¡incluyendo todo lo que eso implica!

Tomando nuestra cruz

El segundo paso que nos da la Palabra para seguir a Jesús es que tenemos que tomar nuestra cruz. Para nosotros, la cruz es un símbolo de perdón, gracia y amor. Pero, cuando Jesús dijo "tomen su cruz", no significaba nada de eso para quienes lo escucharon. La cruz representaba la muerte más grotesca, humillante y horrible que se pueda imaginar. Era una muerte pública, para que todos los que vieran a los que cargaban esa cruz supieran que era una muerte segura. Quién caminaba con su cruz, era una persona muerta caminando.

Ahora, pongámonos en el lugar de los discípulos cuando Jesús les dice: "tomen su cruz".

¿No te dan escalofríos?

De hecho, no sólo Jesús dijo que tomemos nuestras cruces, sino que también dijo lo siguiente:

"Si te niegas a tomar tu cruz y a seguirme, no eres digno de ser mío."[187]

Por eso es importante lograr el primer paso. No vamos a poder tomar nuestra cruz, si no estamos dispuestos a abandonar nuestra manera egoísta de vivir. Nunca vamos a estar dispuestos a morir por

Cristo, si solo pensamos en vivir para nosotros. Tenemos que caminar con nuestra cruz, para que vean que ya no vivimos nosotros, sino que hemos "muerto" al mundo y sus deseos, para que Cristo pueda vivir en nosotros.[188]

"Nunca vamos a estar dispuestos a morir por Cristo, si solo pensamos en vivir para nosotros."

Debo mencionar algo importante que sucedió cuando Jesús murió en esa cruz:

Dios se glorificó.

Y eso es lo que buscamos. ¡De eso es lo que se trata! Queremos que Dios sea glorificado en toda nuestra vida. Por lo tanto, si no estamos dispuestos a "morir" a nuestros logros, Dios no se glorificará en lo que hacemos. Si no estamos dispuestos a "morir" a nosotros mismos, Dios no se glorificará en quiénes somos. Cuando entendemos la importancia de morir a todo lo que somos nosotros y lo que podemos alcanzar para nuestra gloria, entonces podemos entender claramente la declaración de Juan el Bautista:

"Él debe tener cada vez más importancia y yo, menos."[189]

Tomamos nuestra cruz para entender que lo más importante en nuestras vidas no somos nosotros, sino Él. Tomamos nuestra cruz para ir a ser crucificados juntamente con Cristo.

Siguiendo a Jesús

Este es el paso más fácil y más difícil.

Se hace difícil porque se llega aquí sólo después de abandonar nuestra manera egoísta de vivir nuestra vida, y tomando nuestra cruz. Pero, una vez podemos lograr esas primeras dos cosas, se hace fácil seguirle. De hecho, es *entonces* que podemos seguirle. Es importante entender esto por una razón que ya mencioné:

Queremos seguir a Jesús, pero todavía no estamos dispuestos a abandonar nuestra manera egoísta de vivir; ¡que es lo primero que Jesús dice que tenemos que hacer!

Y si no estamos dispuestos a completar ese primer paso, ¡el segundo y el tercero se vuelven imposibles!

Seguir a Jesús requiere de una entrega absoluta, la cual se adquiere abandonando nuestra manera egoísta de vivir y tomando nuestra cruz. Todos los días. De esta entrega y compromiso es que dice la Biblia que:

"Los que dicen que viven en Dios deben vivir como Jesús vivió."[190]

¿Cómo vivió Jesús? Abandonando su egoísmo y tomando su cruz. Por lo tanto, Jesús no quiere que solo caminemos *con* Él, sino que caminemos *como* Él:

"Por lo tanto, de la manera que recibieron a Cristo Jesús como Señor, ahora ***deben seguir sus pasos****. Arráiguense profundamente en él y edifiquen toda la vida sobre él. Entonces la fe de ustedes se fortalecerá en la verdad que se les enseñó y rebosarán de gratitud."*[191]

No hay un punto neutral. ¿Alguna vez te has quedado parado(a) en la orilla del mar? Con el movimiento las olas, los pies se comienzan a hundir en la arena si no estás caminando. De la misma forma, si no estamos siguiendo a Jesús de forma activa, nos empezamos a hundir en egoísmo. Seguir en los pasos de Jesús, es movernos en la dirección del amor por nuestros hermanos y nuestro prójimo.

Sembrando en secreto

Claro, jamás vamos a poder caminar en los pasos de Jesús si no pasamos tiempo en Su presencia y en Su Palabra. Es imprescindible. Querer amar a Dios inevitablemente significa pasar tiempo con Él y Su Palabra. Así como es difícil ser una buena pareja cuando no pasan tiempo juntos, es difícil ser Cristiano sin tener un tiempo devocional a Dios en el cual puedas adorarle, estar con Su Palabra y depositar tus cargas en Él.

Pero, ¿cómo lo hacemos?

Hay algo que aprendí que se llama "La Hora Quieta". Probablemente, ya la hayas escuchado, tal vez no. Con toda honestidad, no sé quién creó este sistema, pero se los quiero enseñar; y ha sido de una enorme ayuda en mi caminar con Cristo.

Es difícil ser Cristiano sin tener un tiempo devocional a Dios.

"La Hora Quieta" es una forma súper sencilla y práctica para dividir tu tiempo devocional con Dios.

- 5 minutos – Preséntate

Empieza sacando unos minutos para presentarte delante del Señor. ¿Qué significa esto? Dile al Señor que has apartado este tiempo para Él. Pídele que te quite cualquier distracción que pueda quitarte tiempo de estar con Él; distracciones externas (mensajes de texto, llamadas, redes sociales... ¿sabes qué? ¡Es mejor apagar el celular durante estos próximos 10 minutos!)

y también las internas (pensamientos divagantes, sueño, cansancio, hambre, los deseos de encender el celular que acabas de apagar). Aprovecha este momento para preparar tu corazón para lo que Dios quiere ministrarte.

• 5 minutos – Perdón de pecados
Queremos presentarnos limpios y sin manchas ante un Dios Santo. El pecado impide que lleguemos ante Él.[192] Por eso es que le pedimos a Jesús que nos limpie de pecados. Confiesa tus pecados con nombre y apellido: ¡sé totalmente transparente! Dios ya los sabe, pero el confesar hace que nosotros mismos nos concienticemos de nuestras fallas y de nuestra necesidad de Dios. Recuerda la esperanza que nos ofrece el Señor: "Si confesamos nuestros pecados, Él es fiel y justo para perdonar nuestros pecados y limpiarnos de toda maldad."[193]

• 10 minutos – Adoración
En estos 10 minutos, adórale. Si cantas, adórale con canciones. ¿Escribes? ¡Recítale un poema! ¿No sabes ni cantar ni escribir? Entonces, ¡ponte los audífonos y busca canciones de personas que lo saben hacer! Medita en la grandeza, el amor y la bondad de Aquel que te ha sacado de las tinieblas y

te ha llamado a Su luz admirable. Léele un Salmo en voz alta. Danza. Adora. Eleva una alabanza nueva de tu corazón. No se trata de ti, ¡se trata de Él!

• 25 minutos – Biblia

Esta es de las partes más importantes. La Biblia es el momento en el cual Dios nos habla a nosotros. Aquí encontramos sabiduría y verdad para vivir nuestro día a día formando el carácter de Cristo sobre nosotros. Leer la Biblia no es sólo leer el "versículo del día" de tu aplicación móvil bíblica, requiere lectura y pensamiento crítico. (¡Ya mismito hablamos sobre cómo leer Biblia!)

Si quieres, lee por 20 minutos y utiliza los últimos cinco para memorizar un versículo que te haya gustado, ministrado o bendecido. Hazlo tu "versículo del día" personal. Postéalo por tu red social favorita, escríbelo en un papel y lo pones en tu nevera, o en tu cubículo en el trabajo (¡si es que se permite!). ¡No dejes de leer Biblia! Te regalo una cita que me gusta del autor Justin Peters: "¿Quieres escuchar la voz de Dios audiblemente? Lee la Biblia en voz alta."

¿Quieres escuchar la voz de Dios audiblemente? Lee la Biblia en voz alta.

• 10 minutos – Peticiones de los demás
Orar por las peticiones de los demás –y no por las tuyas– hace que tu amor por tus hermanos y por tu prójimo crezca. Ayuda a crear unidad entre los miembros del Cuerpo de Cristo, así como Jesús anhelaba en Juan 17:21. Es a través de ese amor y unidad que todo el mundo sabrá que Jesús es el hijo de Dios. Y todo comienza con la disciplina de negarte a ti mismo y amar al prójimo y a los hermanos en Cristo. Piénsalo: si todos nos ocupamos por las peticiones de los demás, ¡siempre habrá alguien orando y preocupándose por las tuyas! Así que compra una libreta, utiliza cualquier aplicación móvil de anotaciones o cualquier método de apuntar las peticiones que escuches de tus hermanos en Cristo, compañeros de trabajo, familiares, y cualquier otro prójimo. ¿Tienes pocas peticiones? ¿Te sobra el tiempo? ¡Basta con leer noticias y encontrarás a alguien que necesite oración!

• 5 minutos – peticiones personales y agradecimiento Si tienes alguna petición de urgencia, preséntala. Dile a Dios que dependes de Su gracia, Su misericordia, y, sobre todo, de Su voluntad. Además, cierra este tiempo devocional agradeciéndole a Dios el privilegio de poder estar en Su presencia.

Antes de seguir, quiero darte unas recomendaciones útiles para cuando estés completando La Hora Quieta:

• No tienes que comenzar haciendo (u obligándote) a hacer una hora. Comienza con 30 minutos (haz todo a la mitad), o con 15 (divide los tiempos por cuatro). ¡Te aseguro que la presencia de Dios es adictiva y pronto una hora no será suficiente!

• Busca un tiempo que sea cómodo para ti. A mí me encanta comenzar el día con la presencia de Dios, pero lo importante es sacar un tiempo –cualquier momento– para buscar a Dios TODOS los días. ¿Se te hace muy difícil por las mañanas? Saca un tiempo en la tarde. ¿No puede ni por la tarde ni por la mañana? Enciérrate en tu auto, enciende el aire acondicionado y adora a Dios al mediodía, durante tu almuerzo.

• Sé intencional sacando tiempo para Dios. No le des a Dios el tiempo que sobre. Si amamos a Dios y es lo más importante en nuestras vidas, ¿cómo no vamos a estar dispuestos a levantarnos una hora más temprano para buscarlo y estar con Él? Cuando estamos enamorados de una persona, movemos cielo y tierra para que esa persona sea feliz; ¿cómo no haremos lo mismo con Aquel que nos dio la salvación y la vida eterna?

Alimentando la raíz (Biblia)

Esta semillita de devoción a Dios se alimenta de nuestro compromiso con la Biblia. Es sorprendente la cantidad de personas que dicen ser Cristianas y no han leído la Biblia en su totalidad. Nuestras vidas Cristianas dependen de conocer a Dios, ¡y no le dedicamos tiempo al documento que nos lo revela!

Debo comenzar diciendo que la Biblia se trata de una cosa y sólo una cosa: Jesús. Él dijo:

"Ustedes estudian con diligencia las Escrituras porque piensan que en ellas hallan la vida eterna. ¡Y son ellas las que dan testimonio en mi favor!"[194]

Sin Jesús, no hubiese historia que contar. Las profecías del Antiguo Testamento se cumplen en Él. Él es el plan de redención. Él es quién salva. Es a través de Él que Dios retomará posesión de la Tierra que creó. Por lo tanto, la mejor manera de leer la Biblia es conociendo la persona de Jesús; personal y contextualmente. Es por esta razón que yo entiendo que se debe comenzar a leer y estudiar la Biblia en los Evangelios (Mateo, Marcos, Lucas, Juan, y los

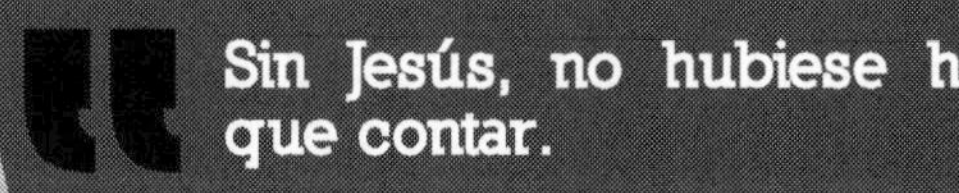

Hechos). Obviamente, lo más importante es que *leas* la Biblia. Lo bueno de tener un punto de partida práctico es que puedes entender mejor todas las cosas que Dios nos dice a través de Su Palabra.

Luego de terminar de leer Mateo, Marcos, Lucas, Juan, y Hechos, síguelo (en orden) hasta llegar hasta Apocalipsis. Después, ve al Antiguo Testamento, comenzando en Génesis. De ahí, lo sigues hasta Apocalipsis por segunda vez. Luego, de Génesis hasta Apocalipsis. Luego, de Génesis hasta Apocalipsis. Luego, de Génesis hasta Apocalipsis. Luego, de Génesis hasta Apocalipsis...

...y así sucesivamente.

Y cuando seas tan y tan anciano(a) que tengas cataratas en los ojos y no puedas ver, ¿qué haces? Le pides a tu nieto que te lea la Biblia. Desde Génesis hasta Apocalipsis.

En otras palabras: Nunca dejes de leer la Biblia. Nunca.

Es muy posible que llegue el momento en el cual se haga un poco pesado leer la Biblia. No sé tú, pero a mi me cuesta estudiar la Biblia a veces. ¡Qué difícil es hacerlo un hábito en una vida tan ajetreada! Todo lo que vale la pena en esta vida requiere tiempo, paciencia y, sobre todo, sacrificio. Y este sacrificio vale la pena. Es un privilegio poder leer y estudiar este libro que ha costado sangre poder tenerlo en nuestras manos.

Así que te quiero compartir algunas cosas que me han ayudado a estudiar la Biblia:

1. Sé intencional con tu tiempo de Biblia:
Lo primero que debemos recordar es que el deseo de la carne es contrario al deseo del Espíritu,[195] ¿recuerdas? Eso significa que siempre vas a *saber* que debes leer Biblia, pero no necesariamente vas a *querer* hacerlo. A lo que me refiero con esto es que, si esperas a querer leer Biblia, nunca vas a leerla. Saca un momento todos los días para leer la Biblia (preferiblemente a la misma hora, para hacerlo costumbre). No esperes a que tengas un espacio, *crea* un espacio. No comprometas este espacio por cosas "más importantes." Tu vida espiritual debe ser de las cosas más importantes de tu vida - ¡saca tiempo para regar la semilla de devoción en ti!

2. Crea metas reales:
Puedes leer la Biblia en un año si lees tres (3) capítulos diarios. Pero es suficiente leer un (1) capítulo por día, siempre y cuando sea T-O-D-O-S los días. Un capítulo se lee en

menos de cinco minutos; no hay excusa para no hacerlo. Antes de dormir, cuando te estaciones en el trabajo o cuando te sientes a usar el baño. ¡Cero excusas! Si puedes con más capítulos hazlo, pero asegúrate de que la meta que te propongas sea una que puedas cumplir.

3. No sólo leas, estudia:
Leer 20 capítulos diarios no será efectivo si solamente lo lees. Debes *estudiar* la Palabra. Es mejor que leas un solo capítulo al día, y que le saques mucho provecho. Para estudiar, trata de hacer preguntas frecuentemente sobre el texto ("¿por qué?" o "¿con qué propósito?", etc). Busca palabras que no entiendas en un diccionario. Anota las preguntas que tengas sobre lo que leíste en un papel o una libreta y llévalas a tu pastor, o a tu líder… ¡pero no te quedes con la duda! Nunca es un problema dudar, el problema es quedarse con la duda. El teólogo Frederick Buechner escribió: "Si no tienes dudas, estás engañándote a ti mismo, o estás dormido. Las dudas son como las hormigas en los pantalones de la fe; la mantienen despierta y en movimiento."[196]

4. Consigue una libreta:
Preferiblemente una distinta a la de las

peticiones que mencionamos. Escribe las dudas, cosas que te impresionen, curiosidades, cosas que se repitan, tu versículo favorito y/o lo que Dios te ministró acerca de ti o tu carácter.

5. Persevera:
El enemigo #1 de nuestro tiempo con Dios es la falta de perseverancia. No dejes que suceda. Pon alarmas, "reminders", añádelo a tu agenda, pídele a tu amigo que te lo acuerde. No importa cómo lo logres, ¡persevera! Se puede. ¿Leíste bien? Se puede.

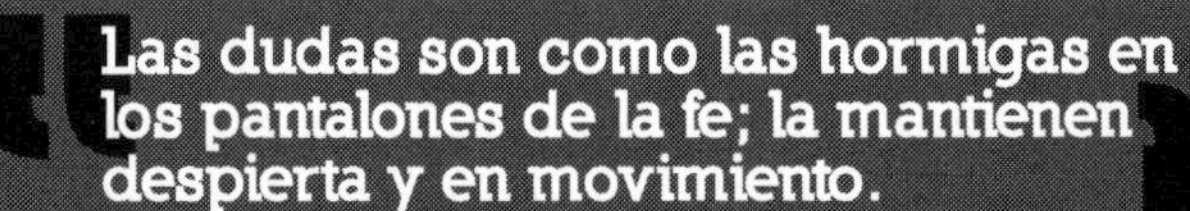

Rociando agua viva (Oración)

Creo que lo primordial es resaltar que el propósito principal de la oración no es sólo presentarle a Dios nuestras peticiones, sino conocer la voluntad de Dios.

Cuando decimos "en el nombre de Jesús", se nos olvida que estas no son unas palabras bonitas para indicar que estamos terminando una oración. Decir "en el nombre de Jesús" es lo mismo que decir "en representación de Jesús." Esto significa que estamos orando (o se supone que estemos orando) por aquello que Jesús oraría, y lo único que Jesús oró para sí mismo fue que se hiciera la voluntad del Padre por encima de la propia.[197]

El hecho de que Dios sepa nuestras peticiones no significa que no tenemos que orar, porque nuestro propósito primordial al orar es buscar la voluntad de Dios, no que nos conceda nuestras peticiones. Por esto es que Dios no siempre contesta nuestras peticiones; no todas van de acuerdo con Su voluntad. El hecho de que se ore "en el nombre de Jesús" no garantiza una petición contestada. Como dice Santiago:

"Aun cuando se lo piden, tampoco lo reciben porque lo piden con malas intenciones: desean solamente lo que les dará placer."[198]

¿Recuerdas cuando hablábamos de abandonar nuestras vidas egoístas? También incluye abandonar nuestras oraciones egoístas. "Orar con fe" no significa "pedir con muchas fuerzas/ esperanzas". En la oración ejemplar que Jesús nos dio[199], el 95% de lo que Jesús pide tiene que ver con la voluntad del Padre. Cuando Él pide una petición personal ("el pan de cada día"[200]), es para que Dios supla las necesidades que podamos tener (como alimentarnos), no nuestros deseos (como un millón de dólares). Dios no siempre nos va a dar las cosas que queremos, pero siempre nos va a proveer lo que necesitamos. Hago eco de unas palabras que escuché en una película: "Orar no cambia a Dios, me cambia a mí.[201]"

Cierro esta parte con unas últimas observaciones en cuanto a la oración:

- Una oración larga no es sinónimo de una mejor oración - La oración modelo de Jesús[202] son alrededor de 70 palabras (dependiendo de la traducción que utilices) y puede ser recitada en menos de 30 segundos. No hay nada en la Biblia que diga que las oraciones largas son mejores que las cortas. Lo que la Biblia recomienda es consistencia, no duración. No te sientas como un mal Cristiano porque se te hace difícil orar por más de 15 minutos. Gloria a Dios por los que pueden orar por tres horas, ¡pero no hay nada en la Biblia que indique que esas personas son más espirituales que los que oran menos que eso! Ahora, ¡este hecho no es para utilizarse como excusa para no pasar suficiente tiempo en oración! Una oración de calidad es el requisito, no cantidad.

- No es bíblico orar por algo una sola vez y *"dejarlo en manos de Dios."* - El ejemplo bíblico es de persistir y perseverar en oración,

¡no de orar una vez y olvidarse del asunto![203] Debemos vivir todo el tiempo, constantemente buscando la dirección y voluntad de Dios. ¿Esa petición importante que te compartió algún prójimo o hermano de la iglesia? ¡No la abandones! ¿Esa petición para que Dios te ayude a vencer una tentación? ¡Persevera! ¿Esa petición para que Dios te haga multimillonario? Esa la puedes dejar ir; esa no es de las que Dios contesta.[204]

Y, por último, una observación que siempre voy a dar con todo lo relacionado a buscar de Dios:

- Sé intencional en tu tiempo de oración - Sé insistente en sacar un tiempo de oración todos los días (¡no tiene que ser muy largo!) donde puedas orar y leer Biblia para que puedas conocer cuál es la voluntad de Dios y andar por ella. ¡Conviértelo en una ofrenda de tu tiempo!

Sacar tiempo para Dios nunca es perderlo. ¡Es una inversión de vida! Este esfuerzo que hacemos en lo privado, se traduce en gloria para Dios en público. Él es quién brilla y es a Él a quién tenemos que hacer brillar!

Protegiendo el futuro

No quiero cerrar el capítulo sin antes hablar un poco de algo que puede echar a perder todo este tiempo y esfuerzo: el pecado, pero, específicamente, la tentación a pecar. Claro, no nos debe sorprender que somos tentados; es más, ¡debemos esperarlo! Como es algo que siempre vendrá, debemos prepararnos para cuando llegue, así nuestro esfuerzo pueda seguir dando fruto.

Para poder prepararnos ante la tentación, tenemos primero que saber qué es y cómo identificarla. Por lo tanto, ¿qué es tentación? El teólogo John Owen lo define de la siguiente manera:

"La tentación [...] en general, es todo aquello que, por cualquier razón, ejerce una fuerza o influye para seducir y atraer la mente y el corazón del ser humano hacia cualquier pecado y lo priva de obedecer a Dios.[...] La tentación puede sugerir el mal al corazón o sacar el mal que ya reside dentro de él. Es una tentación si algo, por cualquier medio, distrae al hombre de su comunión con Dios o de la consistente obediencia universal a Dios que Él requiere. [...] la tentación no es sólo la fuerza seductora hacia el pecado, sino el objeto por el cual somos tentados.[205]*"*

En pocas palabras: la tentación es aquello que nos provoca atracción hacia el pecado y nos cohíbe de nuestra obediencia y comunión con Dios.

Cabe enfatizar que ser tentado no es pecado. El pecado es caer en tentación (o ceder a la tentación). Como habíamos mencionado: si no se lleva a cabo la acción de pecar, no hay pecado. Por supuesto, como las probabilidades son más altas de pecar si estás siendo tentado, lo que queremos es evitar la tentación por completo: que ese pecado en potencia nunca se realice. No podemos olvidarnos de que Jesús, el punto de partida de nuestras vidas, nos demostró que se puede ser tentado, pero sin tener que pecar.[206]

Ahora, ¿cómo identifico algo que me tienta?

Pues, eso te toca a ti. Es probable que ya sepas qué es aquello que, en las palabras que leímos de Owen, te "distrae de una comunión con Dios o de la consistente obediencia universal a Dios que Él requiere". Saca un tiempo y haz el ejercicio mental de pensar qué cosas te son tentación. No importa qué es lo que te tiente (ya sabes: tu pecado favorito), tenemos que aprender a evitar las tentaciones y manejarlas cuando lleguen. ¿Por qué? Bueno, dejaré que Santiago conteste:

"sino que cada uno es tentado, cuando de su propia concupiscencia es atraído y seducido. Entonces la concupiscencia, después que ha concebido, da a luz el pecado; y el pecado, siendo consumado, da a luz la muerte."[207]

Seamos honestos: no somos fanáticos de morir y esa imagen del pecado pariendo muerte es un poco espeluznante. Por lo tanto, no queremos que suceda. Tomemos en cuenta que las cosas que te tientan a ti no son las mismas que me tientan a mí, y ambas pueden ser distintas a lo que tienta a los demás. Tal vez eres tentado a robar un banco, por ejemplo, pero no necesariamente otros son tentados de la misma manera. En este punto quiero enfatizar la importancia de no hacer pecar a otras personas: si sabes que a tu amigo le es tentación robar un banco, no lo invites a que te acompañe a pagar un préstamo. De igual forma, si sabes que te es tentación robar un banco, no digas que sí cuando te inviten a visitarlo.

Ahora bien, ¿cómo se pueden manejar las tentaciones?

1. Llena tu cabeza de Dios:
Cuando tu cabeza se llena de Dios, es difícil pensar en cualquier otra cosa, incluyendo eso que te puede tentar. Así que, devórate la Biblia. No dejes de ir a la iglesia. Ora constantemente. Haz devocionales personales. Ya sabes, todas esas cosas que constantemente te recuerdan la hermosura de la salvación. Piénsalo de esta manera: tu cabeza siempre va a estar llena de algo. Si la llenas de cosas que sean de constructivas para tu vida y aumenten tu conocimiento de Cristo, no va quedar mucho espacio para pensar en las cosas que te pueden tentar.

La gran mayoría de las veces, terminamos siendo tentados porque hemos descuidado nuestra relación con Dios; esa hora quieta se convierten en una quietud de cinco minutos. ¡Cuida de tu relación con Dios! La gran mayoría de tentaciones muere aquí, porque se rompen al encontrarse un compromiso con Dios tan sólido.

"Dios nos ama tanto que no dejará que las cosas que ocultas dañen lo que Él está haciendo en ti, solo porque tú quieres aparentar ser perfecto."

2. Busca un líder espiritual para que puedas rendirle cuentas: Esto debe ser un pastor, líder de jóvenes, diácono o maestro de la Palabra a quién se le dé confianza. ¿Por qué? Porque muchas veces pensamos que podemos por nuestras propias fuerzas y, en realidad, una ayuda nunca viene de más, sobre todo si es de alguien que ha estado en tu posición en algún momento y sabe cómo manejarla. El Cristianismo se vive en comunidad; no hay llaneros solitarios. Es muy orgulloso de nuestra parte pensar que estamos solos y que sólo podemos solucionarlo por nuestra cuenta. De hecho, Dios nos ama tanto que no dejará que las cosas que ocultas dañen lo que Él está haciendo en ti, solo porque tú quieres aparentar ser perfecto. Por lo tanto,

si tú no lo traes a la luz, es probable que Él se encargue de hacerlo.[208] Sé transparente, y dile a tu líder tus pecados favoritos para que te pueda ayudar cuando llegue la tentación. Recuerda: cuando no confesamos nuestros pecados, morimos por dentro.[209]

3. Manténte Alerta:
La razón por la cual necesitas identificar las cosas que te tientan es para que las puedas ver desde lejos y evitarlas. Es el mejor curso de acción. Como leímos en Santiago, "la tentación da luz al pecado y el pecado da a luz la muerte."[210] Si podemos evitar la tentación, estaremos evitando el pecado y, ¡este es el punto! Si tienes una tendencia a caer en tentación, es tiempo de tomar decisiones radicales y diferentes sobre tu vida. Las mismas decisiones llevan a los mismos resultados. Albert Einstein dijo que la locura se definía en hacer lo mismo una y otra vez, esperando resultados diferentes. Cambia la rutina. Sé intencional y tajante en tus decisiones para dejar de pecar. La idea es alejarnos de la tentación por completo. Pero, si por alguna razón no puedes...

4. Utiliza tus Armas:
Repito: lo que queremos es evitar la tentación. No obstante, si te encuentras en una situación

en la cual estás siendo tentado(a), utiliza tus armas espirituales. Tenemos que estar conscientes de que esta batalla en contra de la tentación no es física.[211] Todos sabemos las analogías bonitas de la armadura del soldado romano y de la armadura espiritual, pero hay unas cosas que quiero resaltar. Por ejemplo, lo primero que tenemos que hacer, dice la Biblia, es *ponernos* la armadura de Dios; y nos lo dice dos veces.[212] Lo que me interesa es que esa instrucción es directamente a nosotros. No le toca a Dios ponernos la armadura, tampoco le toca al pastor; nos toca a ti y a mí. Cuando vas a salir y te vas a vestir, ¿la ropa salta del armario por sí sola y cae en tu cuerpo? ¡No! Tienes que elegir qué ropa llevar y ponértela. Igualmente, tienes que decidir usar la armadura de Dios y hacer un esfuerzo para ponértela, así como los romanos se tomaban el tiempo de asegurarse que toda su armadura estaba bien puesta. *Toda* la armadura. Ten en cuenta que, en este tipo de situación la fe (escudo) es para defensa y la Palabra de Dios (la espada) es para ataque. Muchas personas tienen mucha fe, y eso los ayuda a defenderse en contra de los ataques del enemigo.[213] Sin embargo, no conocen mucha Biblia, por lo tanto, en vez de una magnífica e impresionante espada, lo que cargan es un bonito abrelata. Para eliminar a su oponente, un soldado primero se defiende del ataque con su escudo, pero luego contraataca con su espada. Si no contraataca, su enemigo se va a quedar ahí, dando golpe tras golpe al escudo y no va a poder hacer nada más que no sea aguantar el escudo, porque si lo suelta un poco, puede caer el soldado. Ahora, imagina que viene una tentación y lo que tenemos de espada es un cuchillo desechable. Si llega la tentación, y oras, y dices: "¡Dios es más grande que mi pecado!" o "¡Dios me salvará!" estás utilizando tu fe, y no tu espada: estás atacando con tu escudo. Cuando dirigimos versículos bíblicos a nuestra tentación, es mucho más efectivo. La fe es tu escudo. La Biblia es tu arma.

Nota Importante - Ignora este cuarto consejo si te enfrentas ante una tentación sexual. El consejo bíblico ante una tentación sexual es simple, sencillo, y corto: ¡HUYE![214]

La idea general aquí es que si te ocupas de tu relación con Dios, no tienes que preocuparte por las tentaciones. Cuando protegemos esta semilla y, con diligencia, velamos por su crecimiento, ¡veremos frutos eternos!

Capítulo 7
Frutas Eternas

Después de todo lo que hemos conversado, quiero terminar contestando una preocupación que a mí me llega de vez en cuando: *"¿Cómo sé que estoy buscando de Dios correctamente?"* Y la contestación no es una cosa complicada. De hecho, es posible que ya la sepas. Es más, es posible que te la sepas de memoria porque la recitabas en la escuelita bíblica. Tal vez no. Qué sé yo. Sin embargo, ya que estamos aquí, hablemos sobre el Fruto del Espíritu.

Así como la Biblia ofrece *"listas"* de pecado (como las que mencionamos), también da una lista de atributos que deben definir nuestras vidas como Cristianos:

"Mas el fruto del Espíritu es amor, gozo, paz, paciencia, benignidad, bondad, fe, mansedumbre, templanza; contra tales cosas no hay ley."[215]

De forma sencilla, el Fruto del Espíritu es la expresión interna de la renovación de nuestro carácter, la cual se manifiesta externamente. Entiéndase: es el fruto observable que cosechamos en público de las semillas que sembramos en privado. ¡Es la manera en la que sabemos que estamos buscando de Dios correctamente!

Cuando nos arrepentimos de nuestros pecados y hacemos a Cristo el dueño de nuestras vidas, sucede algo interesante: somos completamente transformados y renovados.[216] El fruto del Espíritu es lo que sucede cuando esta nueva naturaleza divina va creciendo en nosotros. A medida que nos acercamos a Cristo, el Fruto del Espíritu crece, madura y se perfecciona en nosotros.

¿Nunca te preguntaste por qué, si hay nueve "frutos", se le conoce como *el* Fruto del Espíritu y no *los* Frutos del Espíritu? Hay muchas ideas alrededor del concepto; ¡es algo que los teólogos llevamos años discutiendo! Sin embargo, hay un consenso importante:

Es singular porque ninguno de los *"frutos"* funciona sin el otro.

Piénsalo: ¿Imaginas a alguien con gozo, pero sin paciencia? ¿O con amor, pero sin bondad? ¡No tiene sentido! Por lo tanto, el Fruto del Espíritu que mora en nosotros crece como unidad: o todos, o ninguno. ¿Tienes amor? Entonces, ¿dónde está tu paciencia? Si te encuentras con que tienes algunos "frutos" y otros no, ¡el Fruto del Espíritu en ti no ha madurado bien!

Algo importante que vale la pena mencionar es que el Fruto del Espíritu no son sentimientos.

Lo voy a decir otra vez: el Fruto del Espíritu no tiene que ver con sentimientos.

Entonces, ¿qué son? Son atributos de nuestro *carácter*. Muchos confunden algunos aspectos sentimentales del Fruto del Espíritu con el Fruto del Espíritu.

Por ejemplo, la felicidad y el gozo no son lo mismo. La felicidad depende de las circunstancias que nos rodean[217] (porque es un sentimiento), pero el gozo es un aspecto de nuestro carácter y no depende de las circunstancias que nos rodean.[218] La felicidad es un sentimiento, pero el gozo llega a ser parte de nuestro carácter. Los sentimientos, por definición, son efímeros, pero cuando algo es parte de tu carácter, forma parte de quién eres; y eso es algo que permanece.

"El Fruto del Espíritu no tiene que ver con sentimientos."

Quiero aclarar algo importante sobre la felicidad: el problema no está en que seamos felices. ¡No hay problema con ser feliz! El problema llega cuando hacemos de la felicidad una meta que debemos y tenemos que alcanzar. Cuando esto sucede, entonces pensamos que Dios existe para que seamos felices: sólo voy a Dios para pedirle las cosas que van a tono con mis planes, o mis anhelos... olvídate de Su voluntad, quiero la mía; porque si no, no voy a ser feliz y Dios quiere que sus hijos amados sean felices, ¿verdad?

Esto es un pensamiento peligroso.

¿Por qué?

Primero, esta idea presume que Dios es tu empleado. Este concepto de que "Dios trabaja para mí" o "para hacerme feliz" es absurdo y quiero hacer una ilustración breve para demostrarlo. Imagina que la distancia del planeta Tierra al Sol (150 millones de kilómetros) fuese como el grosor del papel de esta página. Con esa razón de medida, nuestro sistema solar mediría 6,060 hojas de papel. ¿Nuestra galaxia (la Vía Láctea)? ¡Casi 70 millones de hojas (visualiza una torre de hojas de papel de 700 km de altura)! ¡No me atrevo imaginar cuántas hojas de papel se requerirían para representar el universo entero! Ahora, piensa en esto: la Biblia dice que es Dios quien sostiene todas las cosas.[219] Esto significa que todo lo exageradamente inmenso que es el universo está sostenido por el increíble poder del Ser más supremo en existencia...

¿Y queremos que este Ser se incline a nuestra voluntad?

Por esto es que, si te encuentras en una situación en la cual no tienes felicidad (o te produce tristeza), debemos recordar que Dios no es un amuleto para utilizar a conveniencia, ni para provocar mi felicidad. Dios tampoco es mi súbdito para cumplir cada uno de mis deseos. Sí, Dios conoce nuestras dolencias, y es en medio de ellas que crecemos para Su gloria.

Segundo, muchas veces obedecer a Dios no nos trae felicidad. Piensa en Jesús. ¿Sabías que Jesús no quería morir?[220] Ahora, ¿crees que Jesús estaba feliz cuando lo estaban matando? ¡Claro que no! Pero, ¿qué dice la Biblia? Dice que "[...] por el *gozo* puesto delante de él *sufrió* la cruz [...]".[221] ¡Jesús estaba gozoso y estaba sufriendo también! El gozo es lo que nos motiva a obedecer a Dios, aún cuando obedecerlo no nos hace felices. Probablemente traería felicidad a mi vida el dinero adicional que tendría si miento en la hoja de impuestos gubernamentales, pero, obedecer el mandato de no mentir[222] va por encima de lo que me haría feliz.

Tercero, si tenemos la felicidad como una meta en nuestras vidas, inevitablemente se encontrará con nuestro deseo de obedecer y agradar a Dios. Si pensamos que Dios quiere que seamos felices y lo que nos hace feliz es algo contrario a la Biblia, entonces nos vamos a confundir. "¡¿Cómo es posible que Dios esté en contra de que yo esté feliz?!"

Lee con cuidado esto que te voy a decir: No es que Dios no quiere que sea feliz; es que tu salvación le importa mucho más que tu felicidad.

Como Cristianos, nuestro gozo viene de tres fuentes: nuestra fe[223], nuestra salvación[224] y la vida eterna[225]. Cuando nuestra meta es agradar a Dios, sabiendo que Él es la fuente de nuestro gozo, vamos a tener una perspectiva divina. Entonces, empezamos a entender una realidad impactante: se puede vivir una vida absolutamente llena de gozo sin un solo día de felicidad. ¿Cómo lo sabemos? Porque el gozo depende de cosas que Dios nos ha dado (la salvación[226] y la esperanza de una vida eterna[227]), ¡y no de lo que nos pueda suceder o de cómo nos podamos sentir!

No es que Dios no quiere que sea feliz; es que tu salvación le importa mucho más que tu felicidad.

Lo más importante es entender que ese gozo es muchísimo más y mejor que cualquier felicidad que podamos tener en este mundo. Nuevamente repito: no hay problema con ser felices, pero el gozo sobrepasa cualquier expectativa que se tenga de la felicidad. Aunque nuestro gozo puede producir felicidad, lo importante es que nuestra felicidad no sea nuestra meta. Por esta razón, nuestra esperanza es que el gozo que viene de saber que somos salvos, de que hemos creído en lo correcto y que tenemos una vida eterna segura en Cristo Jesús sea lo que nos mueva a obedecerlo, a pesar de nuestros ánimos cambiantes.

¡Así mismo con los demás componentes del Fruto del Espíritu! No son asuntos de nuestras emociones o sentimientos, son producto de nuestro carácter. Por lo tanto, cuidémonos de confundir felicidad (sentimiento) con gozo (carácter), romance con amor, tranquilidad con paz, desear con fe, tolerancia con mansedumbre, afabilidad con benignidad, apacibilidad con bondad, moderación con templanza, o serenidad con paciencia.

Si te percatas, el sentimiento no lleva al fruto, pero el Fruto puede producir sentimientos. El amor puede llevar al romance, pero no necesariamente el romance lleva al amor. ¡El amor no depende del romance! El hecho de que una persona llegue a su casa cansada y molesta del día horrible que tuvo en el trabajo, no significa que dejó de amar a su cónyuge y a sus hijos. El Fruto del Espíritu va más allá de los sentimientos y circunstancias: mientras que los sentimientos van y vienen dependiendo de las circunstancias, el carácter que viene del Fruto del Espíritu permanece.

Pero, ¿por qué es importante?

Hay dos razones importantes; y ambas están atadas al propósito de Dios en nuestras vidas. Como ya discutimos, el propósito de Dios para tu vida es doble: conocer a Dios y darlo a conocer. El Fruto del Espíritu madura y crece en ti a medida que conoces a Dios y caminas como Jesús.[228] A la misma vez, este fruto que se manifiesta en nuestro carácter nos identifica como Hijos de Dios[229], y ayuda a alimentar a otros. Piénsalo: ¿quién se beneficia del fruto de un árbol? ¡No es el árbol que lleva el fruto! El fruto de un árbol es para que otros puedan comer o para dar la semilla con el fin de que crezca otro árbol igual.

Nuestro fruto se madura a medida que vamos conociendo a Dios y entonces damos de nuestro fruto para que otros lo conozcan a Él, y crezcan también. Conocemos y damos a conocer.

Pensamiento Final

Quiero darte la clave de cómo vivir en este

mundo, sin ser parte de este mundo[230]:

Mantén tu enfoque en la Eternidad con Dios.

Así de sencillo.

Te explico porqué.

Ser humano significa que, en algún punto de nuestras vidas, nos enfrentaremos a algún momento de profundo dolor (o varios). Si todavía no has tenido un momento de profundo dolor y sufrimiento, desafortunadamente ya pronto te tocará. Al acordarnos de los puntos anteriores, empezamos a ver la esperanza y el amor de Dios en medio de los momentos más difíciles y confusos. Estos "puntos de luz" nos ayudarán a navegar a través de la tempestad de la confusión que pueda surgir en nuestras vidas; no sin dolor, pero con esperanza.

Por último, Jesús nunca escondió la realidad del dolor y el sufrimiento pero sí nos dio una esperanza... en Él mismo:

"Les he dicho todo lo anterior para que en mí tengan paz. Aquí en el mundo tendrán muchas pruebas y tristezas; pero anímense, porque yo he vencido al mundo."[231]

Es esperanzador pensar que, para aquellos que aman y confían en Dios, hay una vida eterna llena de gozo; libre de dolor y sufrimiento. Recuerda: el gozo que Dios nos da va mucho más allá de la felicidad que podamos desear para nosotros mismos.

Y este gozo viene de, entre otras cosas, la esperanza de la vida eterna. Esto es importante, porque nunca vamos a estar satisfechos ni en estado de contentamiento, si buscamos las cosas de este mundo. Cuando buscamos las cosas del Reino de los Cielos, nos damos cuenta que las cosas que nos ofrece el mundo son pasajeras.[232] Como escribió C.S. Lewis:

"Si lees historia te darás cuenta que los Cristianos que más aportaron a este mundo presente eran justamente los que pensaban más en el mundo venidero. Los mismos apóstoles, los que comenzaron la conversión del Imperio Romano, las grandes personas que construyeron la Edad Media, los evangélicos Ingleses que abolieron el Comercio de Esclavos: todos dejaron su huella aquí en la Tierra porque sus mentes estaban ocupadas en el Cielo. Es desde que los Cristianos han dejado de pensar en el otro mundo que se han vuelto tan inefectivos en este. Enfócate en alcanzar el Cielo, y también ganarás el mundo. Enfócate en el mundo, y perderás ambos."[233]

Por alguna razón, queremos enfocarnos más en nuestras vidas que en la eternidad. ¿Por qué? ¿Para qué? Ya Jesús nos dijo que esta vida va a estar llena de pruebas y tristezas, ¿en eso es lo que queremos enfocarnos? Vamos a poner nuestra mirada en Jesús[234], y anhelemos la eternidad con Él. ¡Esta es la manera de hacer tesoros en el Cielo![235] Recuerda: con esta esperanza de vida eterna, podemos vivir vidas llenas de gozo, amor, fe, (y todas esas cosas que mencionamos) sin tener un solo día de felicidad.

¿Por qué es importante que enfoquemos nuestra vida en la esperanza de la eternidad en vez del sufrimiento de la vida? Porque el tiempo que dura nuestra vida es un instante, mientras que la eternidad es...¡eterna!

Imagina que te levantas un primero de enero y tienes un día pésimo. Te levantas, te caes de la cama y te rompes el brazo. Cuando vas de camino al hospital, la ambulancia choca contra un árbol. Tienes que esperar una tercera ambulancia, porque la segunda que enviaron se quedó sin gasolina. Cuando llegas al hospital, se rompe la máquina de rayos-x y el doctor se tarda en atenderte. Todo esto mientras tu celular se está quedando sin batería, y el WiFi del hospital tiene contraseña. Cuando te inmovilizan el brazo roto y te vas a bajar de la camilla, te resbalas y te rompes la pierna del lado opuesto. Luego, cuando -al fin- llegas a tu casa de noche, vas a la nevera a comerte el pastel de chocolate en el cual has pensado todo el día y alguien ya se lo comió. Te acuestas en tu cama, y enciendes la lámpara para leer este libro y se va la luz.

Un día absolutamente pésimo.

Sin embargo, a medida que pasa el año, cosas buenas suceden. Dios te confirma tu llamado, tu jefe te da un aumento inesperado (pero merecido) en sueldo, ¡y fuiste seleccionado como el ganador de un auto nuevo en un concurso! Después, pasan los meses y siguen pasando cosas buenísimas: conoces nuevos amigos (¡de esos que duran toda una vida!), mejoras relaciones que ya tienes, cumples las metas que te propusiste. Tal vez encuentras un papelito en el suelo, ¡y resulta que era el boleto ganador de la lotería! Con tus ganancias, abres un albergue para deambulantes, ayudas a muchos con sus deudas, y puedes donar un techo nuevo para tu iglesia (para que no se mojen cuando llueve en los días de culto). Una llamada equivocada en tu móvil resultó ser tu actor/actriz favorita buscando consejos, y Dios te llena de sabiduría para poder aconsejarle, ¡y se vuelven buenos amigos! Tan así, que te invita para su fiesta de fin de año. Entonces, llega el 31 de diciembre y te encuentras en la fiesta de ese actor/actriz, y alguien te pregunta: "¿Cómo ha sido tu año?"

¿Dirías que fue un año malo, sólo porque tuviste un día pésimo?

Cuando pones un solo día malo dentro de 364 días buenos, el peso de todo lo bueno hace que lo malo sea llevadero. ¡Las cosas malas que te pasaron se pierden dentro de tantas cosas buenas! Es más, me atrevo a decir que, mientras leías el párrafo de cosas buenas, te olvidaste de que acababas de leer un párrafo de cosas malas.

¿Sabes qué? Lo mismo pasa cuando comparamos nuestra vida en la Tierra con la eternidad de Dios: ¡se pierde una dentro de la otra!

Cuando ponemos en perspectiva los 80-90 años que dura nuestra vida con lo que es la eternidad de Dios, nos damos cuenta de que nuestras vidas son una gotita de agua dentro del océano de la eternidad de Dios. El día que dejemos esta vida nos vamos a dar cuenta que fue un pestañear ante la eternidad que compartiremos con Dios.

Resumen del libro

Antes de continuar, ¡quiero darle la bienvenida a los que buscan el final del libro primero! Quiero dar la síntesis de lo que hemos conversado hasta el capítulo anterior, por dos razones. Primero, tengo la esperanza de que este resumen motive a los que vieron esta página primero a que no sea la única página del libro que lean, sino que puedan tomar el libro desde el principio. Segundo, quiero que los que sí llevan conmigo desde el principio tengan un recordatorio y cierren la última página absolutamente claros de lo que acaban de leer:

Cuando sacamos tiempo para orar y leer Biblia, nos acercamos a Dios.

Y cuando nos acercamos a Dios, Él se acerca a nosotros.[236]

Y cuando Él se acerca a nosotros, podemos entender que podemos amar porque Él nos amó primero.[237]

Y cuando entendemos que la razón por la cual podemos amar es porque Él nos amó, podemos amar a nuestros hermanos en la fe.[238]

Y cuando amamos a nuestros hermanos en la fe, nuestros enemigos van a saber que somos discípulos de Cristo.[239]

Y cuando nuestros enemigos vean cómo imitamos a Cristo (porque somos Sus discípulos), van a sentir el amor que tenemos por ellos.[240]

Y cuando nuestros enemigos sientan el amor de Dios a través de nosotros, caerán a los pies de Jesús, y dejarán de ser nuestros enemigos; ¡van a ser nuestros hermanos!

¿Ves?

Si sembramos vidas dedicadas a Dios en lo

privado, ¡cosecharemos gloria a Dios en público! Cuando eso pasa, las personas vendrán buscando lo que tenemos.

Cuando amamos a nuestros hermanos en la fe, nuestros enemigos van a saber que somos discípulos de Cristo.

Y *eso* es lo que queremos: ¡vivir unas vidas tan parecidas a la de Jesús, que la gente quiera venir a conocerlo - que vayan tras Él!

Pensamientos Finales

"No, amados hermanos, no lo he logrado, pero me concentro únicamente en esto: olvido el pasado y fijo la mirada en lo que tengo por delante, y así avanzo hasta llegar al final de la carrera para recibir el premio celestial al cual Dios nos llama por medio de Cristo Jesús."[241]

Si algo logró este libro en mí, fue enseñarme que lo que yo pensé que era ser Cristiano en realidad estaba lejos del blanco. ¡No hay peor engaño que pensar que uno está cerca, pero en realidad no lo estás! Recuerdo una vez que fui de viaje y me quedé dormido en el avión. Pude conseguir algo que es rarísimo encontrar en un avión: ¡un buen sueño! El viaje era de unas cuatro horas, y cuando desperté sentí que dormí tanto que pensé que estábamos pronto a llegar - ¡pero todavía faltaban tres horas y quince minutos! ¡Qué frustrante! Hubiera preferido quedarme dormido y no saber cuán lejos estaba de mi meta. El problema es que, en cuanto a la vida espiritual de un Cristiano, quedarse "dormido" no es una opción.[242] Por lo tanto, espero que este libro sirva como reloj despertador.

Lo que ocurrió en mí fue una motivación de cada día trabajar un poco más para ser más como Jesús. No ha sido fácil. No creo que la intención de Dios es que lo sea. Sino que, cuando las personas vean nuestras sinceras intenciones de amar a Dios y amar a otros así como Dios mismo nos ama (que dio todo, aún cuando sabía que lo íbamos a traicionar y a asesinar), quieran venir "corriendo en masa" a ser parte de este amor que nosotros hemos encontrado.

"Tu vida como Cristiano debería hacer que el incrédulo dude de su incredulidad."[241]

Notas

Todos los versículos son tomados de la Nueva Traducción Viviente (NTV), a menos que la referencia diga lo contrario.

1. C.S. Lewis, "They Asked For A Paper," in Is Theology Poetry? (London: Geoffrey Bless, 1962), 164-165.
2. Juan 12:19
3. Juan 12:9
4. 2 Corintios 5:20
5. Salmo 119:9
6. Juan 14:6
7. Mateo 5:27-28
8. Chesterton, G.K. (1910). What's Wrong With The World.
9. Juan 8:12
10. Efesios 5:8; Juan 8:12; Mateo 5:14-16
11. Juan 8:34
12. Lewis, C.S. (1970). God in the Dock: Essays on Theology and Ethics. Eerdmans.
13. Mateo 7:24-27
14. Hechos 4:11
15. Cole, N. (2019). What Is Critical Theory?. [online] ThoughtCo. Available at: https://www.thoughtco.com/critical-theory-3026623 [Accessed 10 Jun. 2019].
16. Thepostglob. (2019). Report- Woman Violently Pushes Priest Off Stage During Mass Live Broadcast - Thepostglob. [online] Available at: https://thepostglob.com/2019/07/15/report-woman-violently-pushes-priest-off-stage-during-mass-live-broadcast/ [Accessed 17 Jul. 2019].
17. Neil, S. (2019). Christianity and Critical Theory – Part 2. [online] Neil Shenvi - Apologetics. Available at: https://shenviapologetics.com/christianity-and-

critical-theory-part-2/ [Accessed 12 Jun. 2019].

18. Marcos 2:1-12
19. Kinnaman, D. and Lyons, G. (2007). unChristian. Baker Publishing Group.
20. Lucas 18:9-14
21. Jones, E. Stanley. The Christ of the Indian Road, New York: The Abingdon Press,1925. (Page 114)
22. 2 Corintios 5:20
23. Mateo 9:36
24. Mateo 23:1-36
25. Juan 12:19
26. 2 Corintios 5:20
27. Mateo 5:11
28. Juan 17:21
29. Juan 14:6
30. Gálatas 1:24
31. Gálatas 1:10
32. Juan 14:15
33. Romanos 1:20
34. Génesis 1:26
35. Eclesiastés 3:11
36. Génesis 1:31
37. Íbid 2:16-17
38. Romanos 5:12, énfasis añadido.
39. Romanos 3:23
40. Santiago 2:10
41. Juan 8:34
42. Romanos 6:23
43. Según la Real Academia Española (RAE.com)
44. Marcos 15:25
45. Isaías 53:5
46. Mateo 27:26

47. Apocalipsis 3:15-17
48. Chan, F. (2008). Loco Amor. New York: David C. Cook.
49. 1 Juan 2:6; 1 Pedro 2:9
50. Mateo 16:24
51. Mateo 22:37-38
52. Mateo 7:16-20
53. 2 Corintios 5:17
54. Colosenses 2:11-14
55. Lewis, C.S. (1952). Mere Christianity.
56. Efesios 2:10
57. Santiago 1:14-15
58. ibid
59. Oseas 1-3
60. Gálatas 5:16-17
61. Hebreos 4:12
62. 1 Crónicas 12:32
63. Hebreos 4:14
64. Hebreos 4:16
65. Mateo 27:51
66. Mateo 5:17
67. Un gobierno dirigido por Dios
68. Éxodo 1-11; 14-15:1-21
69. Levítico 20:26
70. Levítico 19:27
71. Levítico 19:19
72. Levítico 10:6
73. Levítico 15:19-30
74. Levítico 19:28
75. Deuteronomio 18:10
76. Deuteronomio 19:15
77. Levítico 11:4-29
78. Deuteronomio 5:14

79. Hechos 1:9
80. Hechos 10:28
81. Hechos 15:1; 5
82. Hechos 10:9-33
83. Mateo 16:19
84. Hechos 15:7-11
85. Hechos 15:14
86. Romanos 3:29-30
87. Efesios 2:8-9
88. Hechos 10:34-35
89. 1 Samuel 16:&
90. Hechos 17:31
91. Mateo 24:31-46
92. Santiago 1:14-15
93. 1 Juan 2:1
94. Hebreos 3:13
95. Juan14:12
96. Gálatas 5:19-21; Romanos 1:25-32; Mateo 15:17-19, por mencionar algunas
97. Marcos 12:30-31
98. 1 Corintios 7:2
99. 1 Corintios 6:9,18
100. Mateo 5:28
101. Mateo 5:31-32
102. Morales, J.R. (2012). ¿Se nace homosexual? ¿Es algo genético?. [online] Verdadyfe.com. Available at: http://verdadyfe.com/gaygene [Accessed 2 Jul. 2019].
103. The New Strong-Willed Child, por Dr. James Dobson
104. 1 Corintios 6:15-17
105. Génesis 2:24
106. Lewis, C.S. (1952). Mere Christianity.

107. 1 Corintios 6:18-20
108. Como, por ejemplo este: Filipovic, J. (2012). The moral case for sex before marriage | Jill Filipovic. [online] the Guardian. Available at: https://www.theguardian.com/commentisfree/2012/sep/24/moral-case-for-sex-before-marriage [Accessed 12 Jun. 2019].
109. Sharon Sassler, Fenaba R. Addo and Daniel T. Lichter. Journal of Marriage and Family. Vol. 74, No. 4 (August 2012), pp. 708-725
110. Busby, D. M., Carroll, J. S., & Willoughby, B. J. (2010). Compatibility or restraint? The effects of sexual timing on marriage relationships. Journal of Family Psychology, 24(6), 766-774.
111. Rosenfeld, M. J. and Roesler, K. (2019), Cohabitation Experience and Cohabitation's Association With Marital Dissolution. Fam Relat, 81: 42-58. doi:10.1111/jomf.12530
112. 1 Corintios 7:7-8
113. Proverbios 18:22
114. Mato 19:11
115. 1 Corintios 7:32-34
116. Mateo 22:30
117. Éxodo 20:4-5
118. Colosenses 3:5-6
119. ibíd
120. Romanos 1:25
121. Mateo 16:24 (alguna versiones dicen "niéguese a sí mismo")
122. Mateo 6:24
123. 1 Timoteo 6:10
124. Marcos 12:30

125. http://es.thefreedictionary.com/felicidad
126. Colosenses 1:16
127. St. Augustine's Confessions (Lib 1,1-2,2.5,5: CSEL 33, 1-5)
128. 1 Tesalonicenses 4:11-12
129. Juan 15:19
130. 1 Juan 2:15
131. Colosenses 3:17
132. Mateo 19:29
133. 1 Juan 3:15
134. Romanos 1:29-30
135. Gálatas 5:20
136. Mateo 22:39
137. Isaías 29:13
138. 1 Juan 4:8
139. 1 Corintios 13:4-8
140: Juan 15:13
141. Colosenses 3:14
142. "armonía" definición - Google Search. (2019). Recuperado 18 June 2019, de http://www.google.com
143. Juan 17:20-21
144. Lipsett, Rick. (2013). ¿Cuál es la diferencia entre el Catolicismo y el Protestantismo?. [online] Verdadyfe.com. Disponible: http://verdadyfe.com/católico [Accesado 15 Jul. 2019].
145. Universalismo es la creencia de que todas las personas van al Cielo, independientemente de lo que crean. El universalismo es la raíz de la creencia que si lo "bueno" que una persona hizo es más que lo "malo" que haya hecho, esa persona va al Cielo sin importar su creencia.

146. Lewis, C. S. (1952). Mere Christianity.
147. Romanos 10:8-10
148. Morales, J.R. (2012). El Propósito de Dios: ¿qué es y cuál es?. [online] Verdadyfe.com. Available at: http://verdadyfe.com/proposito [Accessed 16 Jul. 2019].
149. Juan 17:3
150. Marcos 9:38-41
151. íbid
152. Juan 13:34-35, énfasis añadido
153. Juan 17:21
154. 1 Corintios 13:1-3
155. 1 Pedro 3:15-16
156. íbid
157. íbid
158. Santiago 4:4
159. "tolerancia" definición - Google Search. (2019). Recuperado 16 June 2019, de http://www.google.com
160. Juan 16:7-8
161. Romanos 5:8
162. Lucas 7:34
163. Salmos 34:8
164. Deuteronomio 4:29
165. Romanos 12:18
166. Mateo 5:23-24
167. Lucas 6:27-28
168. Proverbios 15:1
169. Santiago 1:19-20
170. 1 Juan 4:8
171. Íbid, versículos 20 y 21
172. Íbid, versículo 12

173. Lucas 6:46-48
174. Mateo 16:24
175. Santiago 4:1-3
176. Marcos 10:45
177. Mateo 11:19; Lucas 7:34
178. Mateo 22:37-40
179. Éxodo 35:5; Deuteronomio 8:2; Romanos 2:5
180. Proverbios 14:30; 23:17
181. Mateo 10:28; Juan 12:25
182. Miller, Jr., W. (1959). A Canticle for Leibowitz. United States: J. B. Lippincott & Co. [énfasis añadido]
183. Romanos 14:5; Filipenses 4:8; Colosenses 3:2
184. Juan 17:17
185. Juan 14:6; 18:37
186. Proverbios 4:23
187. Mateo 10:38, énfasis añadido
188. Gálatas 2:20
189. Juan 3:30
190. 1 Juan 2:6
191. Colosenses 2:6-7, énfasis añadido
192. Isaías 59:2
193. 1 Juan 1:9
194. Juan 5:39
195. Gálatas 5:16-17
196. Buechner, F. (1973). Wishful Thinking: A Theological ABC.
197. Mateo 26:39, 42, 44
198. Santiago 4:3
199. Mateo 6:5-13
200. Íbid, versículo 11
201. Shadowlands. (1993). [DVD] Directed by R. Attenborough. United Kingdom: Paramount

Pictures.
202. Mateo 6:9-13
203. Lucas 10:5-10; Lucas 18:1-8
204. Santiago 4:3
205. Owen, J. and Goold, W. (1965). The works of John Owen, Vol 6: Temptation and Sin. Edinburgh: Banner of Truth Trust.
206. Hebreos 4:15
207. Santiago 1:14-15
208. Mateo 10:26
209. Salmo 32:3
210. Santiago 1:15
211. Efesios 6:12
212. Íbid versículos 11, y 13
213. íbid versículo 16
214. 1 Corintios 6:18
215. Gálatas 5:22-23, versión Reina Valera 1960,
216. 2 Cor. 5:17; Gál. 2:20
217. TheFreeDictionary.com. (2005). [online] Available at: https://es.thefreedictionary.com/felicidad [Accessed 30 Jun. 2019].
218. Theopedia.com. (2010). [online] Available at: https://www.theopedia.com/joy [Accessed 30 Jun. 2019].
219. Colosenses 1:17
220. Lucas 22:42
221. Hebreos 12:2, RV1960 énfasis añadido
222. Proverbios 6:17
223. Romanos 15:3; Filipenses 1:25
224. Salmo 9:14; Filipenses 4:4
225. Salmo 16:11; Romanos 14:17
226. Jonás 2:9; Efesios 2:8
227. Romanos 6:23; Juan 4:14

228. 1 Juan 2:6
229. Mateo 7:16
230. Juan 17:14-15
231. Juan 16:33
232. Mateo 24:35
233. Lewis, C.S. (1952). Mere Christianity.
234. Hebreos 12:2
235. Mateo 6:19-21
236. Santiago 4:8
237. 1 Juan 4:19
238. Íbid, versículo 11
239. Juan 13:34-35
240. Lucas 6:27-28
241. Cita atribuída a Dietrich Bonhoeffer

Joel Rodríguez Morales

Estudió teología en Biola University, ubicada en California. Fundó la página web VerdadyFe.com y le apasiona la enseñanza. Actualmente reside en Caguas, Puerto Rico con su esposa y sus dos hijas, y se congrega en la Catacumba #9 de Cayey.

Comunícate con Joel: casicristianos@gmail.com o a través de: facebook.com/casicristianos

Made in United States
Orlando, FL
11 December 2021